Joachim Gauck

Toleranz:
einfach schwer

Joachim Gauck
In Zusammenarbeit mit Helga Hirsch

Toleranz:
einfach schwer

HERDER

FREIBURG · BASEL · WIEN

3. Auflage 2019
© Verlag Herder GmbH, Freiburg im Breisgau 2019
Alle Rechte vorbehalten
www.herder.de

Satz: Daniel Förster, Belgern
Herstellung: GGP Media GmbH, Pößneck
Printed in Germany

ISBN Print: 978-3-451-38324-3
ISBN E-Book: 978-3-451-81527-0

Inhalt

Warum dieses Buch? 9

Über die Notwendigkeit von Toleranz 9

Frühere eigene Erfahrungen mit Toleranz
und Intoleranz 13

Zum Beispiel: Das Haus I 21

Von notgedrungen zu kostbar: Historische
Annäherungen an die Toleranz 29

Das Ende der einheitlichen Weltsicht 30

Vom Zwang zur Koexistenz zum Minderheitenschutz 32

Die Intoleranz der ehemaligen Häretiker 34

Die Trennung von Staat und Religion 37

Von der Toleranz des Staates zur Toleranz zwischen
den Menschen 39

Die Unterdrückung am Pranger 42

Die Ausweitung der Toleranz 45

Die rechtliche Sicherung eines erweiterten
Toleranzgebots 48

Was ich unter Toleranz verstehe: 12 Aspekte . . . 51

Am Beginn einer neuen Epoche: (In)Toleranz
in Zeiten des Umbruchs   63

    Die Repräsentanzlücke   63
    Desillusionierung oder: Kein Ende der Geschichte .   68
    Gegenbewegung   74
    Die Gesellschaft sortiert sich neu   77

Erweiterungen und Grenzen: Wie viel Toleranz
lässt sich lernen?   81

    Toleranzfähigkeit – je nach individueller Disposition   81
    Die Angst vor dem Wandel berücksichtigen   85
    Kollektiver Nachholbedarf in Sachen Toleranz   87

Wie viel Toleranz gegenüber Intoleranten?
Über den Umgang mit extremistischen
Auffassungen   95

    Die neuen und die alten Rechten   95
    Keine Toleranz gegenüber Rechtsradikalen   99
    Repressive Toleranz   103
    Rechts ist nicht rechtsradikal   108
    Das Feld des Nationalen nicht den Extremisten
    überlassen   113
    Falsche Nachsicht gegen linke Gewalt   116
    Unterschätzter Islamismus?   121
    Verhärtete radikale Milieus unter Muslimen   123
    Islamistisch und islamisch   125
    Antisemitismus: Für einen differenzierten Umgang . .   130
    Aufklärung hilft   135

Die Intoleranz der Guten: Wenn politische
Korrektheit zum Problem wird   139

  Betreutes Sprechen   139

  Politische Korrektheit auf dem Vormarsch   145

  Die Grenzen der öffentlichen Regulierung   149

  Identitätspolitik – gerechter oder spalterisch?   151

  Welche Identität(en) wollen wir?   154

  Wenn Partikularismus die Oberhand gewinnt   161

  Die Rolle als Opfer: identitätsstiftend?   165

Offenheit und Wertebewusstsein: Toleranz in
der Einwanderungsgesellschaft   173

  Fremdenfeindlichkeit verschwindet nicht   175

  Wie viel Zuwanderung nützt unserem Land?   178

  Wer gehört dazu?   180

  Multikulturalismus: Über die Grenzen der Toleranz   . .   187

  Migrantische Intoleranz: Interne Restriktion   193

  Von der Kraft unserer Werte   198

Zum Beispiel: Das Haus II   201

Für eine kämpferische Toleranz   207

Dank   211

Anmerkungen   213

Warum dieses Buch?

Über die Notwendigkeit von Toleranz

70 Jahre ist es her, dass sich Deutschlands Westen nach der Gewalt und den Verbrechen des nationalsozialistischen Regimes mit dem Grundgesetz eine freiheitliche und demokratische Grundlage gab. 30 Jahre ist es her, seit Deutschlands Osten nach dem Gewinn der Freiheit wiedervereinigt wurde. Niemals werde ich vergessen, mit welch überwältigender Erleichterung und Freude ich diese Zeit erlebte und mit welchen großen Erwartungen ich in die Zukunft blickte. Ich habe mir nicht vorstellen können, dass es jemals notwendig sein würde, über Toleranz in unserem Land zu schreiben. Denn mit dem Gewinn von Freiheit und Demokratie musste sie sich quasi naturwüchsig dazugesellen und erweitern – davon war ich überzeugt.

So blieb die Vorstellung von Toleranz lange wie ein altes Familienschmuckstück in meinem Besitz – geschätzt, aber wenig beachtet. Nun aber, in neuer Zeit, wollte sie genauer angeschaut und bewertet werden. Denn etwas hat sich tiefgreifend verändert im Land. Das Klima zwischen den Menschen ist rauer geworden. Ich erlebe die gegenaufklärerische Leugnung von Fakten und Evidenz und die Geringschätzung Experten gegenüber, als ließe sich Wahrheit durch subjektives Empfinden oder willkürliche Festlegungen neu erfinden. Auf den Straßen und mehr noch im Netz ist eine zum Teil bösartige Intoleranz zu besichtigen und eine Verweigerung von Affektkontrolle, die sich eine Generation zuvor höchstens versteckt gezeigt hatte und in eher begrenzten Gruppen üblich war. Fast kein Tag, an dem durch die sozialen Netzwerke nicht eine Flut von Beleidigungen, Häme, ja Hetze spült. Zivilisatorische Schranken, die uns gelehrt hatten, Unwillen nicht in Beschimpfung und Wut nicht in Aggression kippen zu lassen, erweisen sich zunehmend als unwirksam. Die Hemmschwellen sind gesunken.

Nun sehe ich, was ich nach dem Erschrecken über die Anschlagsserie Anfang der 1990er Jahre in Hoyerswerda, Solingen, Hünxe, Mölln und zahlreichen anderen Städten in diesem Ausmaß nicht mehr erwartet hatte: eine alte und neue Fremdenfeindlichkeit, alten und neuen Rassismus, Antisemitismus, zudem eine wachsende Bereitschaft in Milieus von Einheimischen wie Eingewanderten, sich autoritären Führerpersönlichkeiten zuzuwenden und gewählte Volksvertreter mit Verachtung, Hass und Häme zu überschütten. Im politischen Leben hat sich die Frontbildung zugespitzt wie vielleicht zum letzten Mal im Westdeutschland Ende der 1960er Jahre. Der politische Gegner wird schnell zum Feind erklärt, der mit meist moralischen Werturteilen angegriffen, ausgegrenzt und möglichst mundtot gemacht werden soll. Kompromisse erscheinen häufig nicht mehr wünschenswert, werden vielmehr als Ausdruck politischer Schwäche verachtet und durch die Politik des »alles oder nichts« ersetzt. »Volk gegen Elite«, heißt es stattdessen.

Die Dialogkultur hat erheblich gelitten, ein Miteinander-Reden ist manchmal nicht mehr möglich. Statt das Gespräch oder auch den handfesten Disput mit Andersdenkenden zu suchen, ziehen sich nicht wenige Bürger in gleichgesinnte Lebenswelten zurück. Freundschaften enden aufgrund unterschiedlicher Lagerzugehörigkeit, Milieus sortieren sich neu, die etablierte Parteienlandschaft löst sich auf – weniger in Deutschland, deutlicher in anderen westlichen Ländern. Die Radikalisierung hat zugenommen. In ihrem manichäischen, auf Spaltung und Polarisierung angelegten Weltbild unterscheiden sich Rechtsradikale nicht von Linksradikalen und nicht von Islamisten. Häufig greifen sie zum Mittel der Gewalt und missachten die Rechtsordnung. Letztlich sind die Fundamentalisten unterschiedlichster Couleur aus demselben Holz geschnitzt.

Als weiteres Problem sehe ich falsche Toleranz, die neben aller bewundernswerten Empathie etwa gegenüber Menschen aus Einwandererfamilien nicht frei ist von Naivität und allzu großer Nachsichtigkeit. Das, was divers ist, gilt einigen allein schon wegen seiner Andersartigkeit als schützenswert. Beispielsweise ist die Politik einiger Multikulturalisten von dem Diktum bestimmt, andere Kulturen, Sitten, Religionen seien pauschal als erweiternd, belebend, eben »bereichernd« anzusehen. Wer nach konkreten Inhalten anderer Sitten und Religionen fragt und sich unter Umständen dagegen abgrenzt, gilt schnell als Rassist. Diversität gilt etlichen pauschal als das neue Leitbild.

Die Toleranz ist nach den globalen Gewalterfahrungen bis Mitte des 20. Jahrhunderts unbestritten als eine grundlegende Voraussetzung einer demokratischen, pluralistischen Gesellschaft akzeptiert. »Praktizierte Toleranz bedeutet [...] für jeden einzelnen Freiheit der Wahl seiner Überzeugungen, aber gleichzeitig auch Anerkennung der gleichen Wahlfreiheit für die anderen.« So heißt es in der Erklärung über die Prinzipien der Toleranz, die 1995 von den UNESCO-Mitgliedsstaaten zum 50. Jahrestag ihres Bestehens verabschiedet wurde. Da die Menschen unterschiedlich sind, da demokratische Gesellschaften auf Pluralität beruhen, kann nur Toleranz das friedliche Zusammenleben sichern. Das ist so einsichtig, so erfahrungsgestützt, dass alle bewusst lebenden Menschen es leicht nachvollziehen können.

Doch obwohl Toleranz in jedem Bildungsplan westlicher Gesellschaften verankert ist und an Feier- und Gedenktagen für sie geworben wird, zeigt sich, dass sie keine selbstverständliche Hal-

11

tung war und erst recht nicht ist. Mehr noch: Es ist nicht einmal klar, was Toleranz genau meint. Philosophen, Theologen, Juristen, Soziologen und Journalisten haben zwar immer wieder über Toleranz nachgedacht, eine präzise, für alle verbindliche Definition hat sich daraus aber nicht entwickelt. Bis heute kennzeichnet den Begriff eine gewisse Unschärfe. Für die einen ist Toleranz eine Tugend, unter der sie die weitherzige Akzeptanz von anderen Positionen verstehen. Andere halten Toleranz für eine Untugend, weil sie darin eine nur herablassende Duldung sehen. Wenn es beispielsweise im »Historischen Wörterbuch der Philosophie« heißt, Toleranz sei »die Duldung von Personen, Handlungen oder Meinungen, die aus moralischen oder anderen Gründen abgelehnt werden«, werden sich sicher Menschen finden, die mit Goethe darauf antworten: »Toleranz sollte eigentlich nur eine vorübergehende Gesinnung sein: sie muss zur Anerkennung führen. Dulden heißt beleidigen.«[1]

Ich spürte jedenfalls: Wenn ich Toleranz bedroht sehe und die neue Intoleranz bekämpfen will, muss ich vertieft Bescheid wissen. Deswegen wollte ich genauer wissen, wie Toleranz entstanden ist und warum sie immer wieder vernachlässigt oder missachtet wurde. Und wenn mich mein angeborener Optimismus dazu zu verleiten suchte, allein die Fortschritte von Toleranz in der Geschichte zu sehen, musste ich mir nur die Vergangenheit des 20. Jahrhunderts in Deutschland und Europa aufrufen, zwei totalitäre Systeme, für die Intoleranz gegenüber Andersdenkenden und Minderheiten geradezu ein grundlegendes Kennzeichen war. Und ich sah: Mögen Nationalsozialismus und Kommunismus in Europa auch Vergangenheit sein, als Versuchung sind andere Formen autoritärer Herrschaft wie auch neue Intoleranz für manche Zeitgenossen wieder attraktiv.

So versuchte ich dem nachzuspüren: Was macht Toleranz aus, und was macht sie notwendig? Und warum ist Intoleranz attraktiv? Der Text, der aus diesen Fragen und Sorgen entstanden ist, dient der Selbstvergewisserung: Er versucht, sich die Geschichte des Begriffs zu erschließen, und verbindet dies mit den aktuellen Auseinandersetzungen. Dabei ist mir bewusst (geworden), dass ich bei mancher Kontroverse noch keine endgültige Urteilssicherheit habe. Nur eines ist mir klar geworden: Wir brauchen in unseren Breiten eine deutlichere und bewusstere Debatte über Toleranz, diese schwer errungene, oft verweigerte, von verschiedenen Seiten diskreditierte Haltung freier Menschen.

So schreibe ich auf, was ich heute weiß. Es kann nur ein Gesprächsbeitrag sein. Mag er gültig sein, so ist er jedenfalls nicht endgültig.

Frühere eigene Erfahrungen mit Toleranz und Intoleranz

Darüber nachzudenken, was Toleranz meint, war für mich in meinen jungen Jahren nicht nötig gewesen. Sie kam wie von selbst in mich hinein, denn sie gehörte zur gebotenen Lebensform eines Christenmenschen. Wer dem Nächsten mit Respekt, Aufmerksamkeit und Empathie begegnen wollte, musste tolerant sein. Das verstand sich fast von selbst, war also eigentlich ganz einfach – einfach im Sinne von selbstverständlich.

Genauso einfach im Sinne von selbstverständlich war es, gerade *nicht* tolerieren zu wollen, was in der DDR als politische und kulturelle Doktrin über uns gekommen war. Bereits als Kind wusste ich, dass das, was um mich herum geschah, Unrecht und Willkür waren. Die Menschen waren nicht gleich, sondern wurden ungleich behandelt je nach politischer Haltung. Oppositionelle wurden diskriminiert, etliche kamen ins Gefängnis oder wurden bis in die 1950er Jahre nach Moskau und Sibirien verschleppt, von wo viele nie zurückkehrten. Wer eine andere Auffassung vertrat als die herrschende Partei, durfte nicht studieren, ja nicht einmal Abitur machen. An den Universitäten und Hochschulen verpflichtete man alle Studierenden zum gesellschaftswissenschaftlichen Grundstudium des Marxismus-Leninismus, Karrieren waren weitgehend von einer SED-Mitgliedschaft abhängig. Bücher und alle Medien unterlagen der Zensur – Lügen und Halbwahrheiten fanden sich allüberall. Ich schweige vom grundsätzlichen Legitimationsdefizit der Parteiherrschaft, der Nichtgewährung freier und gleicher Wahlen und ihrer Folge: der Ohnmacht der Vielen.

Über Toleranz haben wir im Elternhaus und später unter Freunden nie diskutiert. Privat war sie selbstverständlich, im politischen Leben hatte sie angesichts unserer Lebensrealität keine Bedeutung, keinen Platz, kein Betätigungsfeld. Wir wollten uns weder um eine tolerante Haltung gegenüber dem diktatorischen Regime bemühen, noch durften wir von ihm Toleranz uns gegenüber erwarten.

Im Rückblick würde ich sagen: Ich bin angesichts dieser Verhältnisse nicht mit einem *Ge*bot zur Toleranz im politischen Raum aufgewachsen, sondern mit einem *Ver*bot. Ein permanenter Widergeist des »Nein« und »Nimmermehr« und ein beständiges »Aber« bestimmten mein Denken und Fühlen. Auf die Indoktrinierung und Intoleranz des herrschenden Systems antwortete ich mit dem Trotz und dem unbedingten Willen dessen, der sich behaupten und »ihnen« gegenüber immer recht haben und recht bekommen will. Ich wollte keine Toleranz gegenüber der Intoleranz entwickeln, wollte nicht billigen, was der Gesellschaft als Meinung, Lebensstil, Kultur, selbst als wissenschaftliche Lehrmeinung aufgezwungen wurde. Denn nicht Pluralität prägte den Alltag in der DDR, sondern die dichotome Frontstellung »Wir« gegen »Die«. »Wir«, die wir uns verweigerten oder aufbegehrten, gegen »Die«, die Konformität und Unterordnung erzwingen wollten. So verbarrikadierte ich mich in meinem Dagegen und trainierte Selbstbehauptung.

Eine ideologisch offene Haltung gegenüber jenen, die als Sachwalter eines intoleranten Systems auftraten, wäre den allermeisten

Aktiven in Kirchengemeinden, Basis- und unabhängigen Künstlergruppen wie Verrat erschienen. Das unterschied sie von jenen in der DDR, die glaubten, sich mit der Macht gut stellen zu müssen, um vielleicht eine Reform von oben einzuleiten. Für die Kirche, in der ich viele Jahre als Pastor arbeitete, war jedenfalls klar: Absprachen, wie ich sie beispielsweise in den 1980er Jahren zur Vorbereitung der evangelischen Kirchentage in Rostock zu führen hatte, waren ausschließlich mit staatlichen Stellen zu treffen und nur zur Not mit der Partei, aber auf keinen Fall mit der Staatssicherheit. Die ungleichen Positionen lagen auf der Hand – der Staat war fast allmächtig, die Kirche fast ohnmächtig –, manchmal allerdings konnten wir doch gewisse Freiräume durchsetzen, ohne grundsätzlich die Unabhängigkeit unserer Positionen aufzugeben. Die Wirklichkeit gebot uns, die Macht der Diktatoren als gegeben zu akzeptieren. Diese zu ertragen, war ein Gebot der Notwendigkeit, nicht der Toleranz.

Was mich und viele andere damals zusätzlich schmerzte, war die Tatsache, dass Unangepasste nicht nur auf die Intoleranz von Partei und Regierung stießen, sondern auch auf die Intoleranz vieler Mitbürger. Da war der Nachbar, der argwöhnisch verfolgte und meldete, ob die Studentin im Parterre des Öfteren Westbesuch bekam. Da war der Arbeitskollege, der, ohne jemals dazu beauftragt worden zu sein, weitergab, dass der Lehrling eine Bibel auf dem Regal seines Wohnheimzimmers stehen hatte. Wie wir inzwischen aus dem Stasi-Archiv wissen, haben sich telefonisch auch immer wieder Bürger gemeldet, die der Stasi »einfach nur mal sagen« wollten, dass die Bekannte YZ vom letzten Urlaub in Polen Materialien der unabhängigen Gewerkschaft Solidarność mitgebracht hatte oder der Kollege Bücher aus dem Westen besaß. Derartige Denunziationen von Nachbarn und Kollegen gruben sich unter Umständen tiefer in die Seelen der Denunzierten ein als der allgegenwärtige Druck der Partei, weil sie ihnen im Alltag weniger Auswege ließen und ein grundsätzliches Misstrauen gegenüber der Umwelt schufen.

Es wäre allerdings nur die halbe Wahrheit, wenn ich nicht auch davon berichten würde, dass die Ideologie des herrschenden Systems auch eine verführerische Seite besaß. Angeblich diente sie doch einem guten Zweck: dem Erreichen des endgültigen Ziels der Geschichte, dem eigentlichen, dem tiefer verstandenen Interesse der Menschheit. Ohne Denken und Handeln der Partei gab es angeblich keinen Fortschritt. Wenn die Vertreter der »Arbeiter-und-Bauern-Macht« die Interessen des Volkes also am besten vertraten, dann waren sie auch berechtigt, diese Interessen notfalls gegen den Willen von Betroffenen durchzusetzen. Sogar Staatsterror wie etwa am 17. Juni 1953 wurde dann ein legitimes Mittel, Menschen zu ihrem Glück zu zwingen. Und es mangelte nicht an willfährigen Dichtern und Intellektuellen, die sich daran beteiligten, »das Ungereimte zu reimen«, wie Wolf Biermann dichtete. Sie sangen das Lob der Intoleranz, einige verführt von einer Heilserwartung, andere aus Eigennutz.

Dann, spät, kam 1989. Das lange Unvorstellbare wurde Wirklichkeit. Die DDR hörte schneller auf zu existieren, als jemand von uns Unabhängigen und Oppositionellen das jemals zu träumen gewagt hätte. Wir, die Menschen der damaligen DDR, erkämpften erst die Freiheit und erlebten dann sogar die Wiedervereinigung. Ich schied als Pastor aus der Kirche aus und stieg in die Politik ein, denn ich wollte in der »neuen« Politik mitgestalten. Mein Lebensmittelpunkt verlagerte sich von Rostock nach Berlin. Und was die Toleranz betrifft, so war sie zwar in meiner Vorstellung immer eine unerlässliche Tugend eines demokratischen Staates gewesen. Doch als ich ihr tatsächlich begegnete, erschien sie mir manchmal eher als Belastung denn als Bereicherung. Nun war sie offiziell zwar selbstverständlich, aber gar nicht mehr einfach.

Der Neubürger in der Freiheit, der ich damals war, fremdelte zum Beispiel mit dem Fremden, den Ausländern und Migranten auf den Berliner Straßen. In Rostock waren die Vietnamesen, Polen, Mosambikaner oder Kubaner, die seit Mitte der 1960er Jahre als Arbeitskräfte ins Land gerufen worden waren, abgeschottet in Wohnheimen untergebracht. Ich war Ausländern nur gelegentlich im Rahmen der Kirche oder während meiner wenigen Auslandsbesuche begegnet. Als Fremde in der Fremde waren sie mir attraktiv und interessant erschienen, als Teil meines Alltags kratzte ihre unübersehbare Anwesenheit an meinen Gewohnheiten und Vertrautheiten.

Ich fremdelte auch mit der Rolle und dem Auftreten von Homosexuellen und Lesben im öffentlichen Leben. Nie hatte ich in der DDR gesehen, dass Homosexuelle sich auf der Straße ihre Zuneigung zeigten. Zwar hatte die DDR das Verbot der Homosexualität früher abgeschafft als Westdeutschland. Doch in der Gesellschaft blieb das Thema verpönt. Ich kannte mit meinen 50 Jahren nur wenige, die sich offen zu ihrer Homosexualität bekannt hätten. Lesben und Schwule fürchteten gar nicht mal so sehr die Intoleranz des Staates, sondern die Intoleranz ihrer nächsten Umgebung. Es war schon etwas Besonderes, dass evangelische Kirchenleitungen schwule Pastoren akzeptierten. In Ost-Berlin beispielsweise verdankten es Schwulengruppen der Toleranz evangelischer Gemeindemitglieder, dass sie überhaupt einen Raum bekamen, in dem sie sich treffen konnten.

Toleranz – das schien mir im wiedervereinigten Berlin aber auch eine dem *juste milieu* eigene Haltung der Indifferenz. Eine Unentschiedenheit gegenüber jeder Art von Eindeutigkeit und eine Scheu vor Verbindlichkeit – alles in allem eine entkernte Leichtigkeit. Vielen von uns aus dem Osten, die wir gerade gelernt hatten, entschieden aufzutreten, notfalls auch auf den Straßen und trotz des Risikos, auf die Gewalt des Staatsapparats zu stoßen, musste diese Toleranz unter dem Motto »anything goes« wie eine Spielart der Dekadenz erscheinen. Konfrontiert mit der Vielfalt in einer freien, offenen Gesellschaft sagte mir mein Kopf: Das ist Pluralität, und Pluralität braucht Toleranz. Mein Gefühl hinkte aber hinterher – im Vertrauten fühlte ich mich sicherer.

Ich habe in dieser Zeit der Eingewöhnung in den Westen allerdings auch erfahren, dass Fremdes nicht per Knopfdruck und nicht in beliebiger Menge integriert werden kann. Es braucht Zeit, um sich an Neues zu gewöhnen, sich teilweise vielleicht sogar mit ihm anzufreunden, es braucht auch Zeit, um zu lernen, Menschen und Dinge auszuhalten, die den eigenen Gewohnheiten und Denkweisen widersprechen. Ich lernte, dass es auch in einem demokratischen Staat Situationen geben kann, die mich überfordern und meine Toleranzgrenze überschreiten. Und ich erkannte, dass es, wenn man sich überfordert fühlt, besser ist, solche Situationen zu meiden, als sich vielleicht zu Reaktionen hinreißen zu lassen, die unbeabsichtigte Folgen haben.

Mehr als mir lieb war, wurde meine Fähigkeit zur Toleranz nämlich herausgefordert, nachdem ich als Abgeordneter von Bündnis '90 im ersten frei gewählten Parlament der DDR mit der Funktion des Bundesbeauftragten für die Unterlagen des Staatssicherheitsdienstes der ehemaligen DDR betraut worden war. Die Erfahrungen aus der Nachkriegszeit im Westen Deutschlands hatten mich zu der Überzeugung geführt, dass das Verdrängen und Verschweigen von Verantwortung und Schuld während der Nazi-Diktatur ungerecht gegenüber den Opfern und schädlich für das moralische und das Rechtsempfinden der Gesellschaft waren. Mir vorzustellen, dass ähnlich wie in den 1950er Jahren in der Bundesrepublik nun wieder Richter, Staatsanwälte oder auch Militärs aus der DDR-Diktatur unterschiedslos und ungeprüft von der neuen Demokratie übernommen würden, erschien mir nicht nur politisch unklug, es widersprach auch zutiefst meinem Gerechtigkeitsempfinden. Das wäre falsche Toleranz gewesen. Ähnlich dachten wohl alle, die für die Demokratie gekämpft hatten und jetzt als Abgeordnete verschiedener demokratischer Parteien in der Volkskammer saßen.

Ich war und bin bis heute der Meinung, dass es kein Laisser-faire geben darf gegenüber jenen, die Pluralität und Toleranz mit Füßen treten. Toleranz, die Nachsicht und Duldsamkeit preist gegenüber den Verächtern der Toleranz, hilft den Tätern und nicht den Opfern. Intoleranz gegenüber einer Intoleranz, die Menschen unterdrückt und verachtet, ist eine Haltung von Demokraten im Namen der Menschenwürde.

Dass jene, die das System der DDR getragen und gebilligt hatten, sich einer Aufarbeitung widersetzten und Geschichtsklitterung zu betreiben versuchten, verwundert nicht. Erstaunlicher war die Erfahrung, dass die Aufarbeitung kommunistischer Diktatur auch bei vielen linken und linksliberalen Intellektuellen aus dem Westen auf Skepsis oder Ablehnung stieß. Es gehe doch um Versöhnung, hieß es, nicht um Rache und Vergeltung. Ein »Schlussstrich« sei angesagt. Jemand kritisierte die Überprüfung möglicher Stasi-Kontakte sogar als Inquisition und forderte eine Amnestie. Wie passte das zusammen, fragte ich mich, dass sich die alte Bundesrepublik gerade aufgrund des Drucks von Linken und Linksliberalen zur kritischen Aufarbeitung der Nazi-Diktatur entschieden hatte, dasselbe Milieu nun aber gegenüber den Verstrickten der SED-Diktatur mit Wahrnehmungsverweigerung und einem milden Blick auf Diktatoren und ihre Zuträger reagierte? Hatte sich nicht längst die Einsicht durchgesetzt, dass der alten Bundesrepublik viele der Proteste nach 1968 erspart geblieben wären, wenn sie Unrecht zuvor nicht so lange unter den Teppich gekehrt hätte?

Bei genauerem Hinsehen ließ sich aufklären, was zunächst als paradox erschien. Ganz offensichtlich plädierten jene Menschen für den Schlussstrich, die sich in der jungen Bundesrepublik gegen eine Restauration von rechts wandten und in der Sowjetunion immer nur das Opfer sahen. Sie lehnten die Totalitarismustheorie ab, die auch linke Diktaturen delegitimierte. Sie wollten lieber schweigen als den repressiv-totalitären Charakter des realen Sozialismus benennen und sahen sowieso viel lieber nach Lateinamerika, nach

Südafrika, aber nur ungern in den Osten. Was beispielsweise in Polen der antikommunistischen Solidarność gelang, stieß wegen deren Verbindungen zur katholischen Kirche auf Skepsis und Ablehnung. Die Angst davor, als Antikommunist zu gelten, hat den Einsatz für Menschen- und Bürgerrechte im real existierenden »linken« Totalitarismus untergraben. Damals habe ich gelernt, dass die Bereitschaft zu Toleranz immer auch abhängig ist von der politischen Haltung eines Individuums. Gegenüber Gleichgesinnten, Verbündeten im Geiste oder auch gegenüber Familienmitgliedern ist der Mensch offensichtlich eher zur Nachsicht bereit; gegenüber Gegnern hingegen entwickelt er frühzeitig eine Neigung zur Intoleranz.

Mein Verständnis von Toleranz beruht aber darauf, dass unterschiedliche und sogar entgegengesetzte politische Optionen oder Haltungen prinzipiell ein gleiches Existenzrecht haben. Es gibt nur einen einzigen Grund, Menschen von Toleranz auszuschließen, das ist, wenn sie sich nicht mehr im rechtlichen und ethischen Rahmen unserer Gesellschaft bewegen. Oder in den Worten des Rechtsphilosophen Norberto Bobbio: »Die Toleranz muss sich auf alle Menschen erstrecken, ausgenommen diejenigen, die das Prinzip der Toleranz leugnen. Kurz gesagt, alle, außer den Intoleranten, müssen toleriert werden.«[2]

Mit diesem ideellen Gepäck im Kopf habe ich mich nun noch einmal aufgemacht, um dem nachzuspüren, was Toleranz heute angesichts neuer Lernfelder bedeutet.

Zum Beispiel: Das Haus I

Auf der Suche nach einem lebensnahen, alltäglichen Beispiel für Toleranz kam mir Thomas in den Sinn, ein guter Bekannter in Westdeutschland, der vor einigen Jahren ein Haus von seiner Tante geerbt hat. Ein Mietshaus mit mehreren Parteien in einer westdeutschen Großstadt. Für Thomas, der seinen Lebensunterhalt als Angestellter in einer Stadtverwaltung verdient, ein ziemlicher Rollenwechsel. Dieses Mietshaus erschien mir plötzlich ein passendes Bild für eine Gesellschaft im Kleinen. Die Mieter brauchen Regeln, um miteinander auszukommen. Sie müssen sich nicht lieben, sie sollten sich aber auch nicht hassen. Sie müssen lernen, Konflikte zu lösen und in immer neuen Konstellationen miteinander auszukommen. Da Thomas mir regelmäßig von dem Haus erzählt, sind mir die Bewohner und die Verhältnisse vertraut geworden, ohne dass ich jemals vor Ort gewesen wäre. Und erstaunlich oft ging es in seinen Geschichten um Toleranz beziehungsweise ihre Grenzen.

Bevor Thomas das Erbe antrat, hatte er kurzzeitig Zweifel, ob ihn das Haus finanziell nicht überfordern würde. Das Gebäude war in einem relativ schlechten Zustand, ein wenig verwahrlost, die Fassade wies Risse auf, im Treppenhaus bröckelte der Putz von den Wänden. Bekannte rieten ihm, das Erbe vorsichtshalber auszuschlagen. Doch die Entscheidung fiel schnell. Das Haus erinnerte Thomas an Gefühle, Gerüche, Erinnerungen aus der Kindheit, als er die Tante regelmäßig besucht hatte. Dieser Ort gehörte zu seiner Geschichte. Und die Sparkasse sicherte ihm einen Kredit zu. Er trat das Erbe an.

Die neue Rolle forderte ihn allerdings gehörig heraus. Er arbeitete drei Tage in der Stadtverwaltung und kümmerte sich den Rest der Woche um das Haus. Es galt, neue Mietverträge aufzusetzen, neue Versicherungen abzuschließen, alle Daueraufträge zu ändern und Angebote für die Gebäudesanierung einzuholen. Ein Rundgang mit einem Architekten förderte zudem zutage, dass auch im Keller und auf dem Dachboden Ausbesserungen erforderlich sein würden. Thomas machte Pläne für die Ausbesserungsmaßnahmen, nahm Verhandlungen mit Firmen auf und holte das Einverständnis der Mieter für die Baumaßnahmen ein. Bei diesen ersten Gesprächen erfuhr er auch erstmals von Konflikten.

Es gebe ein Problem im Haus, erklärte ihm die ehemalige Grundschullehrerin, die unten im Erdgeschoss wohnt. Das »Problem« seien die beiden Studenten unter dem Dach. Sie hielten sich nicht an die Nachtruhe, probten regelmäßig mit Freunden Musikstücke, mit denen sie angeblich bei verschiedenen Live-Veranstaltungen auftraten. Sie fände es ja lobenswert, sagte die Lehrerin, dass sich die Studenten Geld verdienten, aber warum üben sie zuhause und nicht in irgendeinem Club? Mehrfach hätten sich die Hausbewohner bei der Tante beschwert, doch die sei mit der Sache im fortgeschrittenen Alter überfordert gewesen. Mehrfach hätten die Mieter sogar die Polizei gerufen. Dann sei zwar für einige Tage Ruhe eingetreten, doch kurz darauf sei die Auseinandersetzung in die nächste Runde gegangen. »Sie werden sich doch kümmern?«, fragte die Grundschullehrerin und sah Thomas erwartungsvoll an.

Thomas kümmerte sich. Zunächst suchte er ein Gespräch mit den Studenten, verwies sie auf die Hausordnung, forderte deren Beachtung. »Eine Gemeinschaft braucht ein Minimum an Regeln, braucht gegenseitige Rücksichtnahme.« Doch schon während des Gesprächs merkte er, dass seine Argumente die Studenten nicht erreichten. Warum, so musste er sich vielmehr anhören, würden sich die Mieter in ihrem Fall beschweren, wo doch die Familie im ersten Stock einen Hund hätte, der nachts nicht selten laut und lange bellte? Außerdem spielten sie im Dachgeschoss. Da gebe es keine Mieter daneben und darüber.

Thomas wollte kein Spießer sein, er wollte sich aber auch nicht auf der Nase herumtanzen lassen – und schrieb eine Abmahnung. Als allerdings schon nach zwei Wochen der nächste Beschwerdeanruf kam, sah er keinen anderen Ausweg mehr und setzte ein Kündigungsschreiben auf. Eine so lange und systematische Missachtung der Regeln konnte nicht mit Duldung rechnen. Doch bevor er den Brief noch einmal mit einem Rechtsanwalt durchgehen konnte, erreichte ihn das Kündigungsschreiben der Studenten; sie waren ihm zuvorgekommen. Thomas war es mehr als recht. Die unerwartet frei gewordene Dachwohnung brachte ihn sogar auf die Idee, sie für sich selbst als Zweitwohnung zu nutzen. Homeoffice ließ sich mit seiner Arbeit vereinbaren, Thomas hatte sich erkundigt. Und Anwesenheit im Haus würde dem Fortgang der Sanierungsmaßnahmen nur dienlich sein. Schon bald lebte Thomas mehr in seinem Haus als in seiner Mietwohnung.

Die Grundschullehrerin war für ihn die Verbindung zur alten Zeit, er erinnerte sie aus der Kindheit. Jetzt war sie schon einige Jahre pensioniert, aber sie ging zwei Mal jede Woche weiterhin in ihre Schule, drei Straßenzüge weiter, und gab Nachhilfeunterricht bei Schülern mit Sprach- und Schreibschwierigkeiten. Frau N. war so etwas wie ein personifiziertes Regelwerk für die Bewohner. Eigentlich hatte immer sie für das Klima im Haus gesorgt, indem sie etwas vorlebte, das für alle nützlich und hilfreich war. Wenn gestresste Nachbarn wenig Zeit für die Sorgen der eigenen Kinder hatten, fanden sie Geduld und Gehör bei ihr. Man konnte ihr die Schlüssel für die Wohnung und die Briefkästen anvertrauen, wie auch die Balkonblumen in Urlaubszeiten. Nur in einem Fall war ihr Verhältnis zu einem Mitmieter gestört.

Früher, so erzählte die Lehrerin, hätte sie zur Familie S. im ersten Stock ein freundschaftliches Verhältnis gehabt. Sie hätten die Geburtstage miteinander gefeiert, wären auch miteinan-

der ins Kino gegangen. All das sei inzwischen vorbei. Nicht wegen des Hundes, den Herr S. vor zwei Jahren angeschafft hätte,
obwohl laut Mietvertrag das Halten von Tieren untersagt sei und
ihr das Bellen manchmal tatsächlich auf die Nerven ginge. Nein,
der Grund lag im Sinneswandel von Herrn S. Es hatte einige heftige Debatten gegeben, und nun gehe sie Herrn S. aus dem Weg.

Herr S. war im Stadtteil geboren, nur wenige Hundert Meter
entfernt. Doch – so behauptete er, als Thomas ihn kurze Zeit später sprach – der Stadtteil sei nicht mehr sein Zuhause. Früher hätten nur Deutsche hier gewohnt, dann seien türkische Familien zu-
gezogen, danach auch andere Ausländer, nun seien die Deutschen
in der Minderzahl, und im eigenen Land würden die eigenen Regeln nicht mehr gelten. Würde die Firma, bei der Herr S. arbeitet,
nicht so nah liegen, wäre er längst umgezogen. Seine Tochter, erklärte Herr S., hätte er jedenfalls nicht in eine Schule gehen lassen können, in der drei Viertel der Schüler nicht einmal richtig
Deutsch könnten. Trotz des viel längeren Schulwegs habe er sie
woanders eingeschult. »Wie soll denn sonst etwas aus ihr werden?«

Früher, so erfuhr Thomas des Weiteren, hatte Herr S. die SPD
gewählt, da hatte er noch Politiker wie Willy Brandt vor Augen.
Heute findet er richtig, was Sozialdemokraten wie Thilo Sarrazin
und Heinz Buschkowsky sagen – aber die sollen aus der SPD ja
rausgeschmissen werden. »Wenn man deren Meinung vertritt, ist
man schon ein Rassist.« Wie könne es aber sein, dass Hunderttausende junger Männer ins Land kämen, die keine Chance auf Asyl
hätten und trotzdem nicht abgeschoben würden? Wie viel Frauen
sollten denn noch vergewaltigt werden? Jedenfalls hat es Herrn S.
gereicht. Bei den letzten Bundestagswahlen hat er die AfD gewählt.

An jenem Abend hatte Thomas mich angerufen. Das Gespräch
belastete ihn. Er selbst hat immer für die Grünen votiert. Hat mit
ihnen gegen Atomkraft und rassistische Parolen demonstriert, hat
Migranten in einem Fußballclub betreut. Es fiel ihm schwer, in einem Haus zu wohnen, wo er den AfD-Wähler im Wohnzimmer

unter sich wusste. Er müsse, versuchte ich beruhigend einzuwenden, mit einem Mieter doch auch nicht befreundet sein. Er könne doch Distanz halten. Und außerdem: Wie tief reiche die Wut von Herrn S. denn überhaupt? Sei er eher ein Protestwähler, oder sei er wirklich fremdenfeindlich? Wie komme er beispielsweise mit der türkischen Familie aus, die doch auf demselben Stockwerk wohne? Ich spürte durchs Telefon, wie Thomas aufatmete. Plötzlich tauchte ein Hoffnungsschimmer auf. Denn als er sich im Gespräch mit Herrn S. ganz allgemein erkundigt hatte, wie er mit den übrigen Mietern auskomme, da hatte Herr S. erklärt, neben ihm, da wohnten ja Türken, »aber die sind ganz in Ordnung«. Leise, höflich und unauffällig.

Die vierköpfige türkische Familie lebt noch nicht lange im Haus. Herr K. besitzt ein Friseurgeschäft in der Hauptstraße des Stadtteils. Irgendwann hatte es sich auch hier ergeben, dass Thomas bei Baklava und Tee einen Teil der Familiengeschichte erfuhr. Die Eltern von Herrn K. waren als Gastarbeiter gekommen, er selbst ist schon in Deutschland geboren. Die Mutter war noch Analphabetin gewesen, doch Vater und Mutter hatten ihn immer zum Lernen ermuntert. So hat er eine Ausbildung gemacht, den Meistertitel als Friseur erworben und nach einiger Zeit einen eigenen Salon aufgemacht. Es geht ihm gut. Dank der vielen Flüchtlinge hat sich die Zahl seiner Kunden fast verdoppelt. Deswegen beschäftigt er inzwischen auch einen Araber. Und der Araber, sagte Herr K. dann mit einem etwas verlegenen Lächeln, hätte ihm noch einen kleinen Zugewinn gebracht. Unter Arabern sei nämlich das Hawala-System verbreitet, eine sehr alte Methode zur Geldüberweisung jenseits der Banken. Besonders Menschen, die sich in Deutschland im Asylverfahren befänden, würden ihren Verwandten in Syrien und dem Irak auf diese Weise Geld überweisen, denn die Gebühren seien erheblich niedriger als bei Western Union. Herrn K. erschien die Sache vorteilhaft für die Flüchtlinge und vorteilhaft für sich selbst, eine Win-win-Situation sozusagen.

Wenn jemand nun Herrn K.s arabischem Mitarbeiter im Hinterzimmer Geld übergibt, erhält der Adressat in Syrien oder dem Irak das Geld schon wenige Minuten später ausgezahlt. Alles ohne Bürokratie, nur aufgrund eines Telefonanrufs und gegen einen bestimmten Code. Alles auf der Basis von Vertrauen und gegen nur minimale Gebühren. Herrn K.s Mitarbeiter braucht weder den Namen des Einzahlenden noch den Namen des Empfängers, er stellt auch keinen Beleg über die überwiesene Summe aus.

Thomas hatte von derartigen Transaktionen noch nie etwas gehört. Sobald er zurück in seiner Wohnung war, suchte er Aufklärung im Internet – und erschrak ein wenig. Denn da stand: Das Hawala-Banking ist in Deutschland ohne Genehmigung und Kontrolle der BaFin[3] strafbar. Wer unerlaubt ein Hawala-Büro betreibt, kann wegen Steuerhinterziehung, wegen Verstoß gegen das »Zahlungsdiensteaufsichtsgesetz« oder wegen Geldwäsche belangt werden. Riesige Summen werden so verschoben, auch für Drogendealer, Schleuser und Terroristen, und die Aufdeckung ist für Polizei und Justiz nahezu unmöglich. Mit sehr großer Wahrscheinlichkeit würde sein Mieter zwar unentdeckt bleiben, überlegte Thomas, aber das Geldgeschäft blieb trotzdem kriminell.

Er quälte sich tagelang: »Mache ich mich nicht strafbar, wenn ich Herrn K. nicht anzeige?« War die Grenze dessen erreicht, was er tolerieren konnte, weniger als Hausherr denn als Bürger? Und was wären die Konsequenzen? Würden die Mieter im Haus in ihm einen Kontrolleur sehen, vor dem man sich in Acht nehmen muss? Über richtige und falsche Toleranz zu entscheiden, fiel Thomas weit schwerer, als er erwartet hatte. »Oder hast du eine gute Lösung?«, fragte er mich kleinlaut. Hatte ich nicht, auch ich hatte erstmals vom Hawala-Banking gehört. Wir beschlossen, das Thema erst einmal zu vertagen.

Wochen vergingen. Ich hörte nichts von Thomas. Er war mit den Renovierungsarbeiten voll beschäftigt. Und er lernte, möglichst nur so viel Kontakt zu den Mietern zu halten, wie aus Gründen der Hausrenovierung erforderlich war. Irgendwie richtete er sich in einer freundlichen Distanz ein. Zu enger Kontakt, das war ihm inzwischen klar geworden, stellte seine Toleranz nur unnötig auf die Probe. Das Pärchen, das im Erdgeschoss neben der Lehrerin wohnte, war zudem nur selten da. Der junge Mann reiste viel für eine internationale Firma um die Welt, sie war Sozialarbeiterin. Sie hatten keine Kinder und pflegten in der Freizeit ihre Hobbys. Thomas waren so unkomplizierte und gleichzeitig so seriöse Mieter nur recht. Und im Übrigen: Die Sache mit dem Hawala-Banking hatte er irgendwie »vergessen«.

Von notgedrungen zu kostbar: Historische Annäherungen an die Toleranz

Wir suchen sie immer gern, die Rückversicherung in der Geschichte. Weil wir hoffen oder ganz einfach davon ausgehen, etwas lernen zu können. Doch weil neue Situationen immer neue Analysen, Sichtweisen und neue Handlungsoptionen erfordern, können historische Erfahrungen wohl nicht mehr als ein Orientierungsrahmen sein. Letztlich bleibt der Griff in die Geschichte ein wenig willkürlich, und oft steckt hinter dem Wunsch nach Kenntnis nicht allein historisches, sondern auch politisches Interesse.

Doch ich bekenne: Ich habe dieses doppelte Interesse. Deshalb beginnt meine Suche nach Sinn und Funktion von Toleranz in einer Zeit, in der politisch und religiös Mächtige nicht mehr umhinkonnten, mit Toleranz auf Gegner und verstörende Andersartigkeit zu reagieren: im Europa des 16. Jahrhunderts, als es für die europäische Welt endgültig klar wurde, dass die tradierte Einheit staatlicher und kirchlicher Macht nicht mehr zu halten war, und es eines Elements bedurfte, um den neuen Differenzen Rechnung zu tragen: eben der Toleranz.

Das Ende der einheitlichen Weltsicht

Es war eine Zeit der Entdeckungen. Auf den Gebieten von Naturwissenschaften, Medizin, Astronomie, Geografie ereignete sich geradezu Überwältigendes. Neue Kontinente wurden entdeckt, neue
Technologien entwickelt, neue wissenschaftliche Erkenntnisse gewonnen. Giordano Bruno postulierte die Unendlichkeit des Welt-
alls, Kopernikus setzte die Sonne ins Zentrum des Universums,
Galileo Galilei entdeckte neue Monde. Aus Indien und China,
über das bereits Marco Polo in seinem Reisebericht erzählt hatte,
brachten Reisende die Kunde von fremden Völkern, fremden Religionen und fremden Kulturen. »Es gibt Dinge – stellte der französische Philosoph Michel de Montaigne fest –, die hier als ver-
abscheuenswert gelten und anderswo als empfehlenswert, wie in
Sparta die Gewandtheit zum Stehlen; bei uns sind Ehen unter nahen Verwandten streng verboten, in anderen Ländern bringen sie
Ansehen.«[4] »Der Möglichkeitsraum Europa«, so formulierte es der
Historiker Bernd Roeck, wandelte sich » zum Wahrscheinlichkeits-
raum, der Neuerungen eine Überfülle an Chancen bot.«[5]

Die Wissenschaften brachten die Vertreter alter Traditionen, besonders Päpste und Kardinäle, in zunehmende Erklärungsnot. Und
aus Verunsicherung erwuchs Repression. Giordano Bruno endete
auf dem Scheiterhaufen, weil sich in seiner unendlichen Welt kein
Platz mehr für einen göttlichen Himmel fand. Galileo Galilei kam
nur mit dem Leben davon, weil er vor Gericht schwor, dass nicht
die Sonne, sondern die Erde der Mittelpunkt der Welt sei und er
an alles glauben werde, was die katholische Kirche für wahr hielte.

Angesichts des Siegeszugs der Naturwissenschaften begann
das tradierte christliche Selbstverständnis zu erodieren. Sinnliche
Erfahrungen, wissenschaftliche Evidenzen und technischer Fortschritt entwerteten manch biblische Gewissheit und eröffneten
neue Wege des Denkens und auch des Glaubens. Martin Luther

war zwar nicht der Erste, der die Autorität des Papstes und manche Lehrmeinung der offiziellen Kirche infrage stellte. Doch Luthers Lehre traf auf eine Gesellschaft, die in breiten Teilen bereit war, derartige antirömische Angriffe zu unterstützen.

Auch häretische Auffassungen fanden Zustimmung, weil Prunksucht, Machtgier oder Ablasshandel der katholischen Kirche den Zorn von Gläubigen hervorriefen. Zudem gab es in Deutschland Landesfürsten, die sich aus einer Schwächung von Papst und Kaiser einen Machtzuwachs erhofften. Und Luther hatte das Glück, seine Positionen aufgrund der Entdeckung des Buchdrucks in abertausendfacher Auflage verbreiten zu können. Mochte Kaiser Karl V. die protestantischen Fürsten durch seinen Sieg im Schmalkaldischen Krieg noch eine Zeitlang niederhalten können, den bekannten Reformator Luther dem Scheiterhaufen zu überantworten, wagte er bereits nicht mehr. Und die weitere Ausbreitung des Protestantismus konnte er ebenfalls nicht mehr verhindern.

So kam es zum Augsburger Reichs- und Religionsfrieden von 1555. Der Kaiser machte den Anhängern der lutherischen Reichsstände Zugeständnisse und gewährte den Lutheranern freie Religionsausübung, während beide Konfessionen weitere Konkurrenten – wie Calvinisten oder Wiedertäufer – gnadenlos und zuweilen gemeinsam verfolgten. Allerdings galt weiter das obrigkeitsstaatliche Prinzip: *Cuius regio, eius religio* – wer das Land regierte, sollte den Glauben bestimmen. Die Bevölkerung blieb so von der Religion des Regenten abhängig. Abgemildert wurde der Religionszwang durch das Recht der Auswanderung, was, da es an die Ablösung aller herrschaftlichen Verbindlichkeiten geknüpft war, den wirtschaftlichen Ruin bedeuten konnte. Dadurch entstand allerdings das moderne völkerrechtliche Optionsrecht in Staatsangehörigkeitsfragen nach territorialen Gebietsverschiebungen im 19. und 20. Jahrhundert.

Tatsächlich eine neue stabile Friedensordnung in Mitteleuropa zu schaffen gelang aber erst knapp 100 Jahre später mit dem Westfälischen Frieden von 1648, nach weiteren 30 Jahren Krieg in Deutschland und nach 80 Jahren (auch konfessionell motiviertem) Unabhängigkeitskrieg in den Niederlanden. Im Wesentlichen knüpfte der Westfälische Friede in den kirchlichen Fragen an den Augsburger Religionsfrieden an. Neben der katholischen und lutherischen wurde nun auch die reformierte Glaubensrichtung gleichgestellt. Als so »Gleichwertigkeit, Gleichrang und Gleichbehandlung verschiedener Bekenntnisse oder Bekenntnisorganisationen« einzogen – so der Rechtshistoriker Martin Heckel –, war die »Einheit der mittelalterlichen Weltordnung [...] zerbrochen«.[6] Viele führen die noch heute in Deutschland verbreitete Sehnsucht nach Ausgleich, Gegengewichten und rechtlichen Kompromissen und rechtsstaatlichen Sicherungen auf diese Kompromissverträge des 16. und 17. Jahrhunderts zurück.

Die Pattsituation zwischen Kaiser, lutherischen und katholischen Landesherren hatte zu einer Koexistenz zwischen Katholiken und Protestanten geführt. Die Überordnung der geistlichen über die weltliche Macht war ebenso gebrochen wie das Monopol des Papstes auf die Bibelexegese. Zwar kam es auch im 18. Jahrhundert noch zu einzelnen konfessionellen Verfolgungen, wie etwa im Fall der Salzburger Protestanten, die im preußischen Ostpreußen Zuflucht fanden. Doch im Heiligen Römischen Reich hatte eine Pluralität Einzug gehalten, die nicht mehr zu eliminieren war. Und mit der Anerkennung der Differenz wurde die Toleranz unerlässlich.

Vom Zwang zur Koexistenz zum Minderheitenschutz

Führt man sich diese Entwicklung vor Augen, ist man natürlich versucht zu fragen: Ist das, was wir heute als Toleranz bezeichnen, im Kern nichts anderes als eine Koexistenz aufgrund politischer Machtverhältnisse, also *erzwungene* Toleranz? Ausdruck der Tatsache, dass die Stärkeren nicht mehr imstande sind, die Schwächeren niederzuhalten, und die Schwächeren noch nicht imstande sind, die Stärkeren zu besiegen? Danach wäre Toleranz im Kern geprägt durch die jeweilige Machtstruktur.

Gegen diese Art der Argumentation lässt sich allerdings geltend machen: Selbst wenn Toleranz ursprünglich aus Druck und Gegendruck entstanden ist, also eine machtpolitisch erzwungene Toleranz war, so hat sich das Prinzip von der Situation des Kräftegleichgewichts abgekoppelt und ist als Idee einer allgemeinen Toleranz in die Werteordnung unserer Gesellschaft eingegangen. So hat sich Toleranz auch gegenüber schwachen Gruppen entwickelt, die selber keinen Druck ausüben können, aber von starken Gruppen in Toleranzlösungen einbezogen werden.[7] Die gesamte heutige Kultur mit ihren Rechten für Minderheiten und ihrem Diskriminierungsverbot fußt im Grunde auf diesem Verständnis von Toleranz als Wert jenseits der Machtstrukturen.[8]

Das wohl eindringlichste Beispiel, wie aus einer allgemein anerkannten Tugend Toleranz die Gleichberechtigung einer Minderheit hervorging, bildet die Emanzipation der Juden. Zunächst wurden Juden nur geduldet, etwa durch das Toleranzpatent von Kaiser Josef II. von 1781, das nicht nur Lutheranern und Calvinisten, sondern auch Griechisch-Unierten und Juden eine gewisse Gleichberechtigung zugestand. Aber diese Toleranz bedeutete immer noch mindere Rechtstellung. Im Preußen unter Friedrich dem Großen mussten Juden dafür zahlen, dass sie Niederlassungs- und Handelsrechte erhielten. Und der spätere Philosoph und Wegbereiter der jüdischen Aufklärung Moses Mendelssohn (1729–1786) durfte die Hauptstadt Berlin nur betreten, weil er Unterricht in der Talmudschule des Oberrabbiners Fränkel erhielt; und hätte er keine Anstellung als Hauslehrer bei einem Seidenfabrikanten gefunden, hätte er die Stadt nach dem Studium wieder verlassen müssen. Erst mit 34 Jahren erhielt Mendelssohn einen Schutzbrief, der ihn vor willkürlicher Ausweisung bewahrte. Eben: aufgrund eines Schutzbriefes.

Die Erfahrung aus Europa, wo sie vom Wohlwollen des Landesherren abhängig waren, bewegte die Juden im amerikanischen Newport denn auch, den amerikanischen Präsidenten George Washington bei einem Besuch 1790 zu bitten, den jüdischen Brüdern und Schwestern des Landes die vollen Bürgerrechte zu gewähren. Washingtons Antwort wurde berühmt: »Es ist nicht mehr so,« – klärte er seine Mitbürger auf – »dass von Toleranz gesprochen wird, als beruhe es auf der Duldung einer Klasse der Bevölkerung, dass eine andere die ihr innewohnenden Naturrechte ausübt; denn glücklicherweise sanktioniert die Regierung der Vereinigten Staaten keinen Fanatismus und hilft nicht der Verfolgung, sondern verlangt nur, dass jene, die unter ihrem Schutz leben, sich als gute Bürger aufführen.«[9] Die Juden von Newport brauchten also keinen huldvollen, Duldung gewährenden Herrscher mehr: Juden in den USA besaßen die Gleichberechtigung bereits seit der Bill of Rights 1776.

Nur wenig später, nämlich 1791, wurden die Juden in Frankreich als gleichberechtigte Citoyen anerkannt, allerdings noch unter der Bedingung, dass sie auf einen eigenen Status als Gemeinde und Nation verzichteten. In Deutschland gelang der Durchbruch erst, als sich im August 1848 die Mehrheit der Frankfurter Nationalversammlung in der Paulskirche für die Gleichstellung der Juden aussprach. Zwar mussten noch einige Hindernisse in den folgenden zwei Jahrzehnten überwunden werden. Doch 1869 verankerte der Norddeutsche Reichstag und 1871 nach Bildung des Deutschen Reiches der gesamtdeutsche Reichstag die bürgerliche Gleichstellung der Juden gesetzlich.

Die Intoleranz der ehemaligen Häretiker

Mit der Reformation und den Reformatoren wurde zwar die Koexistenz verschiedener Bekenntnisse auf staatlicher Ebene erzwungen, doch die Reformatoren, die selber Toleranz für sich gefordert hatten, erwiesen sich keineswegs immer als tolerant, wenn sie selbst an die Macht gekommen waren. Unter jenen, die erst kurze Zeit zuvor verfolgt und als Häretiker vom Tode bedroht waren, traten nun selbst Exekutoren hervor, die im Namen ihrer vermeintlich allein selig machenden »Wahrheit« andere verfolgten und mit dem Tod bedrohten.

In acht Predigten hatte Martin Luther als Motto der Reformationsbewegung noch verkündet: »Non vi, sed verbo« (Nicht durch Gewalt, sondern durch das Wort). Und in seinem Traktat »Von weltlicher Obrigkeit, wie weit man ihr Gehorsam schuldet« war er noch überzeugt: »Ketzerei ist ein geistlich Ding, das kann man mit keinem Eisen hauen, mit keinem Feuer ausbrennen, mit keinem Wasser ertränken«.[10] Wenig später jedoch, als der Reichstag von Speyer (1529) die Todesstrafe für die Erwachsenentaufe verhängte, wie die Täufer sie praktizierten, ist von einem Protest seinerseits nichts überliefert. Wiedertäufer galten als aufrührerisch und unberechenbar, für die Landesherren ebenso wie für die evangelische Kirche. Tausende von Täuferchristen wurden vertrieben, enteignet, ertränkt, verbrannt oder enthauptet.

Im Bauernkrieg wiederum hatte Luther zunächst noch beide Seiten des Konflikts, die aufständischen Bauern wie die Fürsten, zur Zurückhaltung gemahnt. Als Thüringen, das Land, das zeit seines Lebens ein wichtiger Bezugs- und Rückzugsort für ihn blieb, in die Kämpfe hineingezogen wurde, rief er hingegen dazu auf, die Aufständischen zu erstechen, zu erschlagen, zu erwürgen.[11] Und war er ursprünglich davon ausgegangen, die Juden seien durch vernünftige Argumente zu bekehren, verfasste er später einen Aufruf, in dem er forderte, die Häuser von Juden zu zerstören, ihre Synagogen zu verbrennen und ihren Rabbinern das Predigen zu verbieten.

Noch rigoroser ging Jean Calvin vor, der große Reformator zweiter Generation. In einer historischen Monografie hat Stefan

Zweig eindringlich nachgezeichnet, wie Calvin seinen großen politischen Einfluss in Genf ausnutzte, um den humanistischen Gelehrten Michael Servetus zum Tode verurteilen zu lassen. Servetus' Delikt: Er hatte Calvins theologischen Auffassungen von der Dreifaltigkeitslehre widersprochen. Am 27. Oktober 1553 verendete der Opponent in Genf auf dem Scheiterhaufen.[12]

Bei den einen rief diese Unnachsichtigkeit Empörung hervor: Sebastian Castellio, ein französischer Gelehrter, der schon früher mit Calvin aneinandergeraten war, kritisierte die Todesstrafe für Häretiker scharf: »Einen Menschen töten, heißt nicht, eine Lehre zu verteidigen, sondern einen Menschen zu töten.« Andererseits dürfte ein wesentlicher Grund für den Welterfolg des Calvinismus gerade in dieser Unnachsichtigkeit gelegen haben. Seine Kirchenzucht, seine repressiven Methoden und die von ihm geforderte strenge Lebensführung gaben Halt in einer Zeit, die für die meisten Zeitgenossen unberechenbar und bedrohlich war.[13]

Die Humanisten unter den Reformatoren blieben im 16. Jahrhundert noch in der Vereinzelung: Johannes Reuchlin (1455–1522), der in den jüdischen Schriften die Zeugnisse des einen Gottes sah, den auch die Christen verehren und der sich dagegen wehrte, jüdische Bücher zu verbrennen: »Verbrennt nicht, was ihr nicht kennt!« Sebastian Franck (1499–1542), der sich gegen jede kirchliche Zwangsgewalt und generell gegen Ketzerverfolgung aussprach und wohl den weitgehendsten Toleranzgedanken vertrat: »Ein geborner Deutscher ist von Natur gleich wie ein Türk, Heid etc. und nicht eines Lots besser oder böser. Die leibliche Geburt tut nichts zu diesem Handel. Es sind alles zumal Menschenkinder und haben einen unparteiischen gleichen Werkmeister Gott, der keine Person ansiehet.« Christus vermag nach Franck in allen zu leben, »ob sie schon äußerlich Heiden, Juden, Türken oder Christen genannt werden. Wer nur recht und wohl lebt, den lass dir ein rechter Bruder, Fleisch und Blut sein in Christo.«[14]

Die Trennung von Staat und Religion

Als die Einheit der mittelalterlichen Weltordnung zerbrach, stellte sich die Frage: Wenn jemand von der absoluten Richtigkeit seiner Religion überzeugt ist, wie kann er dann tolerant sein gegenüber den Anhängern einer anderen Religion, die nach seiner Überzeugung eindeutig falsch ist? Wie ist ein friedliches Zusammenleben von Konfessionen denkbar, da sie doch alle auf ihrem Wahrheitsanspruch bestehen? Antworten auf diese Fragen waren dringlich und unerlässlich; das zeigen die Bürgerkriege, die den Kontinent und England im 17. Jahrhundert vor allem aus konfessionellen Gründen heimsuchten und große Teile der Bevölkerung ausrotteten.

In dieser Zeit begann eine Entwicklung in religiöser und politischer Hinsicht, die christliche und islamische Länder bis heute trennt. Denn mochten die europäischen Philosophen und Gelehrten von Spinoza bis Hobbes, von Voltaire bis Locke auch unterschiedliche Antworten auf die Krise der Religion entwickeln, so waren sie sich in einer zentralen Frage einig: Der Staat sollte von kirchlichen Bevormundungen befreit, die Frage der religiösen Wahrheit nicht zu einer Staatsangelegenheit gemacht werden.

Auf der einen Seite finden wir die autoritäre Antwort von Thomas Hobbes (1588–1679): Alle kirchlichen Angelegenheiten werden einer allmächtigen staatlichen Instanz untergeordnet – gleichgültig, ob einem Monarchen oder einem Parlament –, die durch einen Gesellschaftsvertrag befugt ist, ihren Willen zum Willen aller zu machen, um einen »Krieg aller gegen alle« zu verhindern. Als Gegenleistung für seine Selbstentmächtigung wird dem Bürger Sicherheit durch eine ihm überlegene staatliche Gewalt zugesichert.

Auf der anderen Seite erhoben sich immer mehr Stimmen, die für die Trennung von Staat und Kirche und die Gewährung von Religionsfreiheit durch einen neutralen Staat plädierten. Da keine Kirche unfehlbar über die Bedeutung der Bibel für den Einzel-

nen entscheiden könne, so John Milton (1608–1674), habe weder
die geistliche und erst recht nicht die weltliche Macht die Befug-
nis, Zwang in Glaubensdingen auszuüben. Religion und Gemeinwesen könnten nur gedeihen, wenn sie getrennt seien. Da die
göttliche Offenbarung nicht eindeutig sei, so auch Pierre Bayle
(1647–1706), könne nur das Gewissen des Einzelnen über die
Wahrhaftigkeit einer Überzeugung entscheiden – der Staat habe
daher religiöse Toleranz zu üben. Bayle wollte als erster neuzeitli-
cher Denker sogar Atheisten in die Toleranz einbezogen wissen.
Auch John Locke (1632–1704) sprach dem Staat den Auftrag ab,
die Sorge für die Seelen zu übernehmen, »weil offenbar Gott niemals irgendeinem Mann die Autorität verliehen hat, einen anderen in religiösen Dingen zu zwingen«.[15] Im Umgang mit den
Religionen sah dieser Philosoph, der gemeinhin als Vater des Liberalismus gilt, sogar den Prüfstein für den Umgang des Staates
mit Freiheitsrechten überhaupt. Die religiöse Überzeugung wollte
er vor staatlichen Eingriffen ebenso geschützt sehen wie das ma-
terielle Eigentum. Allerdings wollte Locke zwei Gruppen von der
Toleranz ausschließen: Bei den Katholiken fürchtete er im angli-
kanischen England deren Versuche, die Macht zurückzuerlangen.
Und bei den Atheisten konnten nach seiner Auffassung »weder
Treue noch Vertrag noch Eidschwur fest und beständig sein, welche doch die Stützen und Bande menschlicher Gesellschaft aus-
machen«. Interessanterweise definiert Locke die Grenzen von Toleranz nicht allein entsprechend allgemeinen Prinzipien, sondern
auch aufgrund von konkreten politischen Umständen: Toleranz
endete bei ihm dort, wo eine realpolitische Gefahr drohte.

In einem England, das 1689 die Bill of Rights verabschiedete,
in einem Amerika, das sich 1776 seine Unabhängigkeitserklärung gab, in einem Frankreich, das sich 1789 zu Liberté, Égalité,
Fraternité bekannte, und in einem Polen, das 1791 die Verfassung vom 3. Mai beschloss[16], konnte der Bürger darauf hoffen,
in der Ausübung seiner Religion nicht eingeschränkt zu werden.

Preußen war schon unter reformfreudigen Monarchen zum Zufluchtsort verfolgter Minderheiten geworden – von Hugenotten aus Frankreich, Protestanten aus dem Fürsterzbistum Salzburg, Presbyterianern aus Schottland, von Waldensern, Mennoniten und auch Juden. »Alle Religionen sind gleich gut«, schrieb Friedrich II. auf eine Anfrage des preußischen Generaldirektoriums aus dem Jahr 1740, »wenn nur die Leute, die sie professieren, ehrliche Leute sind. Und wenn Türken und Heiden kämen, und wollten das Land peuplieren, so wollen wir ihnen Moscheen und Kirchen bauen. Ein jeder kann bei mir glauben, was er will, wenn er nur ehrlich ist.«[17]

In jenen Jahrzehnten wurden die Grundlagen für ein System der Aufklärung gelegt, das die europäischen Staaten und Gesellschaften bis heute prägt. Anders als in islamischen Ländern setzt die Religion nicht (mehr) unmittelbar die Regeln im weltlichen Leben. Das Individuum ist nicht zwangsweise Teil eines Kollektivs, sondern – bezogen auf die Religion – sein eigener Souverän. Die Vertreter gleich welcher Religion wissen im Europa nach der Aufklärung, dass die Schrift nicht buchstabengerecht zu interpretieren ist, dass selbst Gelehrte in ihrem Denken irren können und Zwang in Glaubensdingen nicht zum Erfolg führt. Auch wenn dies nicht immer explizit ausgesprochen wurde, sind die Staaten, die sich als »Eintracht der Widerstreitenden«[18] verstehen, auf dem Prinzip der Toleranz aufgebaut.

Von der Toleranz des Staates zur Toleranz zwischen den Menschen

Fragt sich nur: Führt dies zwangsläufig zu einem unbegrenzten Relativismus in der Gesellschaft? Ist danach alles gleich gültig beziehungsweise gleich unwichtig? Oder wird sich der Wahrheitsanspruch der einen weiter am Wahrheitsanspruch der anderen reiben?

Dass der neutrale Staat seinen Bürgern Religionsfreiheit hoheitlich in einer Art vertikaler Toleranz gewährte, musste nicht automatisch zu einer horizontalen Toleranz zwischen den Bürgern unterschiedlicher Bekenntnisse führen. Jedenfalls forderte Montesquieu (1689–1755), dass ein Staat, wenn er schon mehrere Religionen dulde, »jene auch dazu verpflichten (müsse), sich gegenseitig zu dulden […] Ein Citoyen genügt nicht schon dann den Forderungen der Gesetze, wenn er das Gemeinwesen nicht agitiert, er soll auch seine Mitbürger nicht agitieren.«[19] Selbst zwischen Angehörigen verschiedener protestantischer Richtungen tauchten Spannungen auf. Als Friedrich Wilhelm, der Große Kurfürst, »aus gerechtem Mitleiden« in Frankreich verfolgte Hugenotten nach Brandenburg rief, musste er seinen Lutheranern die Toleranz ihnen gegenüber – als »Summus Episcopus« und Landesherr zugleich – erst befehlen.[20] Wie also umgehen mit der Rivalität unter den Bürgern verschiedener Konfessionen, mit Wahrheitsansprüchen, die sich gegenseitig ausschlossen? Wie verhindern, dass sie nun *innerhalb* der Gesellschaft zur Ursache für Spannungen und Gewalt würden?

Mit seiner Ringparabel hat Lessing in seinem Drama »Nathan der Weise« (1779) auf diese Frage mit einem Gleichnis zu antworten versucht. Ein Mann besitzt einen wertvollen Ring, der die Kraft hat, seinen Besitzer »vor Gott und den Menschen angenehm zu machen«. Da der Mann allerdings drei Söhne hat, die ihm alle gleich lieb sind, möchte er allen dreien den Ring vererben. So lässt er zwei Duplikate anfertigen, die dem Original so ähnlich sind, dass selbst der Vater sie nicht mehr unterscheiden kann. Die Söhne jedoch sind unzufrieden und rufen, um die Echtheit des originalen Ringes zu ermitteln, ein Gericht an. Der Richter ist überfragt und gibt den Söhnen den Rat, jeder solle in der Überzeugung leben, dass er den echten Ring besitze. Nicht an ihren Bekenntnissen, sondern an ihrem moralischen Verhalten werde abzulesen sein, wer den richtigen Glauben besitze.

Eine doppelte Form von Toleranz lässt sich hier herauslesen. In der Tatsache, dass Lessing einen Juden zur Hauptfigur des Stückes machte, verbarg sich eine Kritik an der Diskriminierung von Juden. Statt Juden nur zu dulden, manchmal zu privilegieren, meist aber zu stigmatisieren, forderte Lessing wie sein Freund Moses Mendelssohn ihre rechtliche und kulturelle Anerkennung und Gleichstellung – Toleranz als Tugend gegenüber den Schwachen, als Inklusion von Minderheiten. Dass Lessing die drei (Glaubens-)Brüder in der Ringparabel als gleichberechtigt erklärte, spiegelte seine Auffassung wider, dass keine der drei monotheistischen Religionen ihren Wahrheitsanspruch beweisen könne und als einzige Wahrheit jeweils nur subjektiv evident sei. Toleranz ist hier gefordert als Respekt vor der freien inneren Entscheidung des anderen.

So jedenfalls sah es auch Lessing, der in seiner Ringparabel einen Wettstreit zwischen den Verschiedenen nicht ausschloss. Im Gegenteil, fordert er sie doch zu einem öffentlichen Ringen um die beste Tat auf. Für die eigene Meinung, Überzeugung, Wahrheit zu werben, zu argumentieren, zu streiten oder auch Zeugnis abzulegen, wenn man so will: zu missionieren, muss also keineswegs zu verurteilen sein, jedenfalls nicht, solange dies auf unaggressive und argumentative Weise, ohne Zwang, Druck oder gar Waffengewalt geschieht.

Sich an diesen gewaltfreien Rahmen zu halten, setzt allerdings voraus, dass die Anhänger der drei Religionen nicht nur in Konkurrenz zueinander stehen, sondern dass sie auch etwas eint: etwas Drittes, eine tiefere sittliche Einsicht, auf die sie sich gemeinsam beziehen. Im konkreten Fall respektieren sie den Rechtsstaat, indem sie ihn zur Klärung ihres Problems anrufen. Sie respektieren ferner ein gemeinsames Humanum, das ihnen Gewaltanwendung verbietet. So entsteht eine Konstellation, in der jeder Gläubige an seinem Wahrheitsanspruch festhalten kann, aber darauf verzichtet, ihn um jeden Preis gegenüber dem anderen durchzusetzen. Denn der gesellschaftliche Frieden, der dadurch gewonnen wird, kommt auch den Anhängern der eigenen Religion zugute.

Die Unterdrückung am Pranger

Für Voltaire (1694–1778) war ebenfalls klar, dass in metaphysischen Fragen Differenzen zwischen den Menschen bestehen bleiben. Aber er betonte, dass Bekehrung, wenn sie zur »Bekehrungswut« wird, nicht Konsens schafft, sondern Unterdrückung und anschließende Auflehnung. Auch er suchte, um die Rivalität zwischen den monotheistischen Religionen aufzuheben, die Lösung in einem übergeordneten, befriedenden Element, auf das sich die Einen wie die Anderen verständigen könnten. Voltaire wünschte sich eine für alle identische, undogmatische, »natürliche« Religion jenseits der Konfessionen, eine Kernreligion, die Streitigkeiten reduziert, indem sie sich auf wenige Grundsätze beschränkt.

Dazu zählte etwa die Goldene Regel, die sich seit der Antike in vielen theologischen und philosophischen Texten findet und später fast wortgleich von Immanuel Kant (1724–1804) verwandt wurde. Ohne Kant zu kennen, haben zu unterschiedlichen Zeiten viele Kinder, auch ich, den Spruch gelernt: »Was du nicht willst, das man dir tu, das füg' auch keinem anderen zu.« Zu diesen in den Beziehungen geforderten Wechselseitigkeiten gehörte auch die Toleranz – als ein Mittel, um Frieden und Brüderlichkeit zu sichern, als ein Mittel, um die Wahrheit zu finden, auch als eine soziale Tugend, ein ethisches Prinzip. Toleranz, sagte Voltaire, »ist Menschlichkeit überhaupt. Wir sind alle gemacht aus Schwächen und Fehlern; darum sei erstes Naturgesetz, dass wir uns wechselseitig unsere Dummheiten verzeihen.«[21]

Die Verve, mit der sich Voltaire für Toleranz einsetzte, erklärte sich aus den politischen Umständen des absolutistischen Frankreichs. Er lebte in einem Land, in dem das Edikt von Nantes, dessen Bedeutung etwa der des Augsburger Friedens gleichkam, 1685 durch das Edikt von Fontainebleau ersetzt worden war. Katholizismus war wieder Staatsreligion, es galten die selbstherrlichen Worte des Sonnenkönigs Ludwig XIV.: »Ein Gott, ein Glaube, ein Gesetz, ein König.« Den Hugenotten wurde die Kultfreiheit untersagt, Geistliche wurden vor die Wahl gestellt, dem Calvinismus abzuschwören oder das Land zu verlassen. Über 200 000 Calvinisten flüchteten trotz Verbot und strengsten Strafen ins protestantische Ausland. Wer im Land seinem Glauben treu blieb, musste mit Diskriminierung und Einkerkerung rechnen.

Dabei lag, als Voltaires »Traktat über die Toleranz« 1763 erschien, die Bartholomäusnacht gut 200 Jahre zurück. An jenem 24. August 1572, als Pariser Bürger ein religiös motiviertes Blutbad unter ihren hugenottischen Mitbürgern anrichteten, ereignete sich der erste Pogrom der Neuzeit. Fanatisierte Gläubige stürzten Menschen aus dem Fenster, rissen sie in Stücke, warfen Kleinkinder in die Seine und traktierten Männer mit Steinen, nur weil sie das Abendmahl anders feierten als die katholische Mehrheit.

Vor diesem Hintergrund erklärt sich, warum ein erneutes Unrecht an einem Hugenotten – und im Übrigen der größte Justizskandal seiner Zeit – Voltaire zu einem »Gebet« zu Gott veranlasste. Ein Kaufmann aus Toulouse, wo die Katholiken den Jahrestag der Bartholomäusnacht immer noch mit einem Freudenfest begingen, war zum Tode verurteilt worden: Er sollte seinen Sohn erwürgt haben, um dessen Übertritt zum katholischen Glauben zu verhindern. Tatsächlich hatte der Sohn Selbstmord begangen, was der Vater allerdings zu vertuschen suchte, da Selbstmörder damals durch die Straßen geschleift und geschändet wurden. Obwohl dem Angeklagten keine Schuld nachgewiesen werden konnte, wurde er auf Druck der öffentlichen Meinung zum Tod auf dem Rad verurteilt. Nur gegen starke Widerstände erreichte Voltaire eine Wiederaufnahme des Verfahrens und schließlich postum die Rehabilitierung des Kaufmanns.

Mit welchem Recht, fragte Voltaire, erheben sich Menschen über Gott, wenn sie andere Menschen aufgrund ihres Glaubens richten? Voltaire missbilligte die Kreuzzüge und die Hugenottenverfolgung, verurteilte die Brutalität, mit der die spanischen Konquistadoren gegen die indigene Bevölkerung in Amerika vorgegangen waren, und geißelte die Inquisition der Katholiken ebenso wie die Untaten fanatischer Anhänger von Calvin. Fanatismus war für ihn eine Krankheit, eine Seuche, ein Wahnsinn, der die Menschen zum Brudermord treibt, zum Mord am Nachbarn, zum Königsmord, Ausdruck einer Überreaktion, die niedere Rachegelüste in der Gesellschaft freisetzt. »Sie tragen alle die gleiche Binde vor den Augen«, schrieb Voltaire in seinem »Philosophischen Wörterbuch«, »ob es nun darum geht, die Städte und Dörfer ihrer Gegner in Brand zu stecken und die Einwohner zu erwürgen, oder ganz einfach darum, zu betrügen, sich zu bereichern und zum Herrn aufzuwerfen. Der Fanatismus macht sie blind, sie glauben, recht zu tun. Alle Fanatiker sind Schurken mit gutem Gewissen und morden in gutem Glauben an eine gute Sache.«[22]

Wer seinen Text über Toleranz heute liest, der versteht, warum er nach dem islamistisch motivierten Anschlag auf die Zeitschrift *Charlie Hebdo* 2015, 250 Jahre nach Erscheinen, auf die französischen Bestsellerlisten kletterte.

Große Hoffnung auf einen Sieg über den Fanatismus scheint Voltaire aber nicht gehabt zu haben. Jedenfalls endete er sein Traktat mit einer eindringlichen Bitte an Gott: »Gib, dass diejenigen, die am hellen Mittage Wachslichter anzünden, um Dich zu ehren, diejenigen ertragen, die mit dem Licht Deiner Sonne zufrieden sind; dass diejenigen, die ihr Kleid mit einer weißen Leinwand bedecken, um zu sagen, dass man Dich lieben muss, diejenigen nicht verabscheuen, die eben dasselbe unter einem Mantel von schwarzer Wolle sagen; dass es einerlei sei, ob man in einer nach einer alten Sprache gebildeten oder in einer neuern Reihe von Worten zu Dir betet!«[23]

Die Ausweitung der Toleranz

Im weiteren Verlauf der Geschichte vermehrten sich in den modernen Nationalstaaten die Forderungen nach Toleranz. Sie betrafen nicht mehr nur die religiösen, sondern auch die politischen und kulturellen Ansichten. Und sie wiesen neue Begründungen auf, die der veränderten Stellung des Individuums in der Gesellschaft Rechnung trugen. Für Liberale wie John Stuart Mill (1806–1873), den Klassiker des englischen liberalen und sozialen Denkens im 19. Jahrhundert, trat die Orientierung an der religiösen Toleranz denn auch in den Hintergrund; Mills moderne Toleranz maß sich daran, wie weit sie dem Individuum einen möglichst großen Spielraum für seine »Lebensexperimente« sicherte.

Kaum jemand hat die individuelle Freiheit und die damit verbundene Notwendigkeit der Toleranz auch im politischen und kulturellen Bereich so radikal verteidigt wie Mill. Freiheit – so war er überzeugt – sei der »erste und stärkste Wunsch der menschlichen Natur«. In »On Liberty« (1859), der letzten großen klassischen Toleranzschrift, wandte er sich daher vehement gegen alle Versuche, die Individualität des Einzelnen zu beschneiden. Bedrohlicher als so manche »Tyrannei der Behörde« erschien ihm die »Tyrannei der Mehrheit«. Er fürchtete den Konformismus, die Tendenz, die Bildung von Individualität zu verhindern und Menschen mit abweichenden Meinungen unter die Normen der Mehrheit zu zwingen.[24] Eine derartige Tyrannei sei viel gefährlicher als manche Arten staatlicher Bedrückung, »weil sie zwar gewöhnlich nicht so strenge Strafen gebraucht, aber viel weniger Auswege offenlässt und damit weit tiefer und die Seelen knechtend in das tägliche Leben eindringt«. Nur in einem einzigen Fall hielt er es für gerechtfertigt, rechtmäßig Zwang gegen den Willen eines Mitglieds einer zivilisierten Gesellschaft auszuüben, und das war: um »die Schmähung anderer zu verhüten«.[25]

Mill verteidigte Vernunft und Toleranz um nahezu jeden Preis,
was ihm teilweise scharfe Kritik eintrug: Wenn die öffentliche Meinung nicht reguliert werde – so der Vorwurf –, könne dies zur Auflösung des gesellschaftlichen Zusammenhangs, zur Atomisierung,
letztlich zur Anarchie führen. Und warum sei es »Sünde, menschliche Schweine im Zaum zu halten oder zu bessern«?[26] Doch Mill
hielt es für weit unschädlicher, abweichende, auch extreme Positionen und Verhalten in einer Gesellschaft zu ertragen, als ihr zu
erlauben, Menschen andere Meinungen aufzuzwingen und damit
unabhängiges Denken zu ersticken, Menschen zu »erdrücken«, zu
»verkrüppeln« und »verkümmern zu lassen«. Schließlich würden
dann alle gleich, letztlich zu Sklaven. Mit »kleinen Menschen« aber
ließen sich »große Dinge« nicht bewirken.[27]

Für Mill bildeten eine möglichst große Vielfalt und eine möglichst unbegrenzte Freiheit außerdem die unerlässlichen Voraus-
setzungen für das Erkennen von Wahrheit. Denn Wahrheit könne
nicht aufgedeckt werden, wenn abweichende Meinungen unterdrückt würden. Menschen sind nicht unfehlbar, vermeintlich
schädliche Ansichten könnten sich als wahr erweisen. Und wie
solle Wahrheit, wo es Unfehlbarkeit nicht gibt, anders ans Licht
kommen als durch Diskussion? Selbst wenn Meinungen offenkundig falsch sind, liegt in ihrer Tolerierung für Mill noch ein Wert,
weil sich in der Auseinandersetzung mit ihnen die eigene Meinung
schärft. Auch für diese Auffassung erntete Mill Kritik: Entspreche
es tatsächlich der Realität, dass sich immer das bessere Argument
in der Diskussion durchsetze? Würden Demagogen und Fanatiker
in liberalen Gesellschaften tatsächlich immer rechtzeitig durch Argumentieren gestoppt?

Ich möchte an dieser Stelle nicht auf die damalige inhaltliche
Kontroverse eingehen. Sie wird uns später an anderer Stelle wieder
begegnen. Was für mich hier vielmehr ins Auge sticht, ist die Tatsache, dass Mill quasi das Gegenprogramm zum »heilsamen Zwang«
vertritt, zu dem sich der Kirchenlehrer Augustinus im Kampf ge-

gen eine erstarkende Häresie durchgerungen hatte. Während die einen die Tür frühzeitig schließen, um die Ordnung nicht durch einen Windzug zu stören oder gar in Gefahr zu bringen, will Mill sie sperrangelweit aufhalten, damit Auseinandersetzungen befruchten können, in der Zustimmung wie in der Ablehnung. Um sich zu entwickeln, muss der Mensch frei bleiben von der Einmischung anderer, und er muss die Freiheit behalten, sich zu entscheiden – für das Gute, aber auch für das Schlechte. Selbst der Irrtum wird bei Mill noch zu einem Bestandteil der Selbstvervollkommnung.

Wer Freiheit so weit gewährt, muss auch entsprechend weit Toleranz einfordern und üben. Mill – so fasste es Isaiah Berlin zusammen – »verlangt von uns nicht unbedingt Respekt für die Ansichten anderer, er verlangt nur, dass wir versuchen sollten, sie zu verstehen und zu tolerieren; nur tolerieren; wir können sie missbilligen, können sie für schlecht halten, können uns, wenn nötig, über sie lustig machen, aber wir sollen sie tolerieren«.[28] Verstehen heiße zudem nicht verzeihen. »Wir können durchaus Einwände erheben, angreifen, zurückweisen, mit Leidenschaft und Hass verurteilen. Aber wir dürfen nicht unterdrücken und ersticken: denn das hieße das Schlechte und das Gute zerstören und liefe auf einen kollektiven moralischen und intellektuellen Selbstmord hinaus.«[29]

Soweit er Toleranz ganz allgemein einfordert, dürfte Mill auch heute noch auf Zustimmung stoßen. Wenn er aber für eine Toleranz plädiert, die nicht an Respekt gebunden sein muss und gar nicht verbergen will, dass sie Andersdenkende zwar tolerieren – dulden – will, sie unter Umständen aber auch missachtet, dann dürfte er bei vielen auf Widerspruch stoßen. Schon Immanuel Kant hatte Bedenken gegen einen »hochmüthigen Namen der Toleranz« angemeldet. Und Johann Wolfgang Goethe hatte ganz ähnlich gemeint: »Toleranz sollte eigentlich nur eine vorübergehende Gesinnung sein: sie muss zur Anerkennung führen. Dulden heißt beleidigen.« Auch heute gibt es Menschen, die Toleranz sehen wollen als Respekt beziehungsweise Anerkennung für das Andere und für die Toleranz keine Tugend sein kann, wenn in ihr eine Geringschätzung oder Herablassung mitschwingt: Eben wenn man das, was man toleriert, nicht achtet. Warum ich dem, was so menschenfreundlich klingt, nicht einfach zustimmen kann, werde ich später ausführen.

Die rechtliche Sicherung eines erweiterten Toleranzgebots

Dass ein friedliches Zusammenleben Toleranz voraussetzt, dürfte weitgehend Gemeingut geworden sein. Der moderne Staat verlässt sich jedoch nicht allein auf die Einsicht der Bürger, er sichert Toleranz durch Rechtsansprüche. Angefangen von der Unabhängigkeitserklärung der Vereinigten Staaten von Amerika und der Französischen Revolution ist obrigkeitsstaatliche, autoritäre – duldende – Toleranz Schritt für Schritt umgestaltet worden in eine Toleranz, die jedem Individuum zusteht und es in seinen Freiheitsrechten vor dem Zugriff des Staates schützt.

Eine besondere Bedeutung kommt in diesem Zusammenhang dem 20. Jahrhundert zu.

Mit dem universellen Menschenrechtsschutz der Charta der Vereinten Nationen von 1945 sowie der Allgemeinen Erklärung der Menschenrechte von 1948 sind erstmals in der Geschichte der Menschheit Rechte formuliert, die für alle Menschen und unabhängig von ihrer Nationalität, Herkunft und Rasse, ihrem Alter und Geschlecht gelten sollen. Noch unter dem Eindruck der Verbrechen des Zweiten Weltkriegs wurde die Allgemeine Erklärung der Menschenrechte trotz des bereits existierenden Konflikts zwischen Ost und West von 49 Mitgliedsstaaten getragen, acht enthielten sich, es gab keine Gegenstimme. Wesentlich an der Abfassung beteiligt waren nicht nur westliche Persönlichkeiten wie zwei Juristen aus Kanada und Frankreich, ein Philosoph aus Frankreich und Eleanor Roosevelt, die Witwe des vormaligen US-Präsidenten Franklin D. Roosevelt, sondern auch zwei Philosophen aus anderen Kulturkreisen – dem Libanon und aus China. Die Menschenrechtserklärung ist zwar kein völkerrechtlicher Vertrag, insofern ist sie nicht verbindlich. Doch sie ist ein Ideal, das Orientierung geben soll. Wesentliche Artikel wurden in andere internationale Verträge und Konventionen und nationale Verfassungen übernommen.

Bis heute ist die Erklärung der Menschenrechte in weiten Teilen der Welt als der entscheidende Bezugspunkt in der Debatte um Menschenrechte akzeptiert, sie ist aus dem internationalen Kampf für Menschenrechte nicht mehr wegzudenken. Und mit Folgeverträgen bzw. -einrichtungen wie dem Internationalen Pakt über bürgerliche und politische Rechte (1966) oder dem Internationalen Strafgerichtshof (2002 in Den Haag) ist auch ein juristisches Schutzsystem entstanden.

Allerdings hat die Erklärung selbst eine Entwicklung durchlaufen.

Zunächst verbürgte sie die liberalen Abwehrrechte des Individuums gegenüber dem Staat: Dazu zählen unter anderem das Recht auf Leben, Folter- und Sklavereiverbot, Meinungs-, Versammlungs- und Religionsfreiheit, das Recht auf ein faires Gerichtsverfahren.

Heute allerdings wird der Begriff Toleranz weiter gefasst und bezieht sich auch auf das Zusammenleben mit ethnischen, rassischen, sexuellen, verschiedenen »diversen« Minderheiten, mit Behinderten, Flüchtlingen, »Fremden« oder anderen, die Merkmale neben der jeweiligen Norm aufweisen.

Dieser erweiterte Toleranzbegriff hat die Diskussion verändert. Früher ging es darum, ein Zusammenleben trotz unterschiedlicher Auffassungen zu ermöglichen – der Disput wurde um unterschiedliche religiöse und weltanschauliche Auffassungen geführt. Unterschiedliche, unter Umständen gegensätzliche Auffassungen sollten gleichzeitig im öffentlichen Raum bestehen können. Heute geht es um die Tolerierung unterschiedlicher physischer, kultureller, sozialer Merkmale – im Vordergrund steht der Kampf gegen Vorurteile und gegen Diskriminierung. Und Menschen müssen sich fragen, welche inneren Widerstände, Vorurteile, Emotionen sie daran hindern, anderen Menschen gleiche Rechte zu gewähren, wenn sie von der Norm abweichen.[30]

In den augenblicklichen Auseinandersetzungen sind beide Formen von Toleranz gefordert. In beiden Formen sehe ich Defizite, und ich wünsche mir eine vertiefte und breitere Diskussion, wie diese abzubauen sind.

Was ich unter Toleranz verstehe: 12 Aspekte

Der Toleranzbegriff hat im Laufe der Jahrhunderte eine Entwicklung durchlaufen, eine alles erklärende und alle befriedigende Definition hat sich aber bis jetzt nicht durchgesetzt. So lese ich beispielsweise in einem Themenblatt für den Schulgebrauch der Bundeszentrale für politische Bildung vier Interpretationsmöglichkeiten, von denen mich keine gänzlich befriedigt:

»Toleranz ist für mich,

... wenn mir egal ist, was andere denken und tun,

... wenn ich jede Meinung und jedes Tun von anderen akzeptiere und im Zweifelsfall lieber nachgebe.

... wenn ich immer gut finde, was andere denken und wie sie leben.

... wenn ich anerkenne, dass Menschen mit all ihren Unterschieden friedlich und respektvoll zusammenleben.«[31]

Wahrscheinlich können sich fast alle schnell darauf einigen, dass die ersten drei Erklärungen das Wesen von Toleranz nicht treffen: Toleranz meint keine Gleichgültigkeit gegenüber dem Denken und Tun anderer, sie ist auch nicht Nachgiebigkeit und Akzeptanz anderer Meinungen, und selbstverständlich ist sie nicht Opportunismus und Schmeichelei, wie es die dritte Antwort nahelegt. Selbst die vierte Antwort, die wohl als richtige gedacht ist, enthält noch ein Problem. Die Betonung liegt nämlich auf dem friedlichen und respektvollen Zusammenleben der Menschen *mit* ihren Unterschieden. Toleranz aber wird erst erforderlich bei einem Zusammenleben, das wegen der Unterschiede nicht als bereichernd, sondern als belastend empfunden wird, also: *trotz* der Unterschiede.[32]

Weil es also keineswegs selbstverständlich ist, dass alle dasselbe meinen, wenn sie von Toleranz sprechen, möchte ich hier darstellen, in welchem Sinn ich den Begriff benutze.

I.

Toleranz leitet sich ab vom Lateinischen *tolerare* – ertragen/aushalten/erdulden und meint die Fähigkeit und die Bereitschaft, das Anderssein des anderen zu akzeptieren und auszuhalten. Toleranz ist somit die Berücksichtigung von Differenz/Pluralität. Sie ist Teil der Wirklichkeit, man kann ihr nicht entfliehen, muss ihr vielmehr Rechnung tragen – unter Umständen zähneknirschend, aus Gründen der politischen Vernunft, vielleicht aber auch aufgrund von Respekt. In den Worten des Philosophen Michael Walzer: »Toleranz macht Differenz möglich, Differenz macht Toleranz notwendig.«[33] Toleranz lässt das andere und den anderen leben, ohne Toleranz hätte sich die Menschheit aufgrund ununterbrochener Kämpfe längst selbst vernichtet.

II.

Toleranz wird nur dann erforderlich, wenn mich eine Differenz gegenüber dem anderen *erkennbar* stört.[34] Teilt jemand meine Anschauungen, hat er denselben Geschmack oder befriedigt er meine Neugier und erfreut mich dadurch, brauche ich keine Toleranz. Ich brauche Toleranz auch nicht, wenn mich eine Differenz, aus welchen Gründen auch immer, kalt lässt oder mir unbedeutend erscheint. Insofern ist Toleranz nicht gleichbedeutend mit Gleichgültigkeit oder Indifferenz, wie sie aus den Worten Friedrichs II. herausgelesen werden könnte: »Jeder soll nach seiner eigenen Façon selig werden.«

III.

Toleranz ist vielmehr eine Zumutung.[35] Denn das Toleranzgebot fordert mich auf, zu ertragen, zu erdulden, zu respektieren, was ich nicht oder nicht vollständig gutheiße. Nicht wenige Menschen halten zum Beispiel den Islam für eine gewalttätige Religion, aber sie sind in unserer Demokratie gehalten, auch dem Islam Religionsfreiheit zuzugestehen, jedenfalls solange sich seine Anhänger im Rahmen der Gesetze bewegen. Ähnlich sind wir angehalten, die Geschlechtsidentitäten zu respektieren, die den Menschen zu eigen sind oder die sie sich zulegen, und Lebensweisen zu tolerieren, die uns fremd sind. Weil der Mensch hinnehmen/akzeptieren können soll, was für ihn das Falsche oder das weniger Richtige ist, erfordert Toleranz immer eine Willensentscheidung und eine je nach Stärke der Irritation kleinere oder größere Selbstüberwindung. Toleranz ist insofern eine zivilisatorische Leistung.

IV.

Toleranz ist gefragt in unterschiedlichen Formen und verlangt uns Unterschiedliches ab. Sie taucht auf in einem aus machtpolitischen oder hierarchischen Gründen ungleichem Verhältnis (vertikale Toleranz) und als Beziehung unter Gleichen (horizontale Toleranz). Und sie unterscheidet sich durch den Grad, in dem sie jeweils Selbstüberwindung kostet.

a.) Toleranz als Duldung

Historisch wurde Toleranz zunächst in einem asymmetrischen, vertikalen Verhältnis gewährt: vom König, der seinen Untertanen Rechte und Praktiken zubilligen, ihnen aber auch wieder entziehen konnte. Oder vom islamischen Herrscher, der die nichtmuslimischen »Dhimmis«, Juden, Christen, Hindus u. a., einerseits dulden, sie aber auch stärker oder schwächer verfolgen, besteuern, enteignen konnte. Toleranz in einem vertikalen System ist für Unterprivilegierte oder Schutzlose ein Gewinn, insofern sie der Verfolgung entgehen. Sie bleiben aber Bürger zweiter Klasse, denen kein gleichwertiger Status zugestanden wird. Toleranz ist hilfreich, aber unzureichend und paternalistisch. In diesem Kontext ist die Äußerung von Immanuel Kant zu verstehen, der einen »hochmüthigen Namen von Toleranz« kritisierte, der den Bürgern nicht volle Freiheit in Religionsdingen zusprach.[36]

Toleranz als Duldung in einem asymmetrischen Verhältnis existiert aber auch in demokratischen Gesellschaften. Zwar besitzen in der Demokratie alle Menschen im Unterschied zum Feudalismus dieselben staatsbürgerlichen Rechte. Ein Oben-Unten-Verhältnis existiert vielfach dennoch – etwa zwischen Mehrheiten und Minderheiten, Arbeitgebern und Arbeitnehmern, Eltern und Kindern. Es liegt beispielsweise in der Hand eines Vorgesetzten, eines Lehrers oder Vaters zu entscheiden, wie weit der Toleranzspielraum reicht, den sie ihren Mitarbeitern, Schülern oder Kindern gewähren. (Ich könnte etwas verbieten oder verhindern, aber ich dulde es.)

Schließlich existiert Toleranz als Duldung selbst unter den formal Gleichberechtigten in einer Demokratie. Es handelt sich um eine horizontale Toleranz. Die Gleich*berechtigung* der Akteure bedeutet nämlich nicht, dass Inhalte, Ziele und Urteile als gleich*wertig* erachtet werden. Mit Duldung reagieren Mehrheiten oder einzelne Bürger insofern auf das, was sie für einen Irrtum halten oder was sie mit einem deutlich negativen Werturteil verbinden. Viele Katholiken beispielsweise halten Abtreibungen für eine schwere Sünde/einen Mord, müssen aber hinnehmen, dass Frauen in Deutschland unter bestimmten Bedingungen Abtreibungen straffrei vornehmen können, weil eine Parlamentsmehrheit es so beschlossen hat. Oder viele Muslime halten Sex vor einer Ehe und ohne Ehe für eine große Sünde, müssen aber damit leben, dass Männer und Frauen in den westlichen Gesellschaften verschiedene sexuelle Beziehungen haben, auch ohne Ehe und außerhalb einer Ehe, weil diese Lebensweise von der Mehrheitsgesellschaft gebilligt wird. Für mich erfüllt Toleranz als Duldung eine wichtige Funktion, denn der Mensch wäre überfordert, wenn er das, was er nur mit Mühe duldet, auch noch anerkennen sollte. Toleranz als Duldung kann eingefordert werden, »wertschätzende Anerkennung« aber nicht. Staat und Gesellschaft können beispielsweise von einem Menschen verlangen, dass er die gesetzlichen Regelungen zur Abtreibung respektiert, aber sie können ihn nicht zwingen, den Schwangerschaftsabbruch gutzuheißen.

Umgekehrt wäre der Mensch unterfordert, wenn das, was er noch dulden kann, aus dem Bereich des Tolerablen gänzlich ausgeschlossen würde. Denn Menschen vermögen weit mehr zu ertragen als das, was sie anerkennen können. Zudem könnten Bürger, wenn sie aus dem offiziellen Diskurs ausgegliedert würden, in Subkulturen oder in destruktiver Trotzhaltung weit mehr Schaden anrichten als in einem breiten, auch kontroversen Disput, in dem sie Teil eines heterogenen »Wir« bleiben.

Toleranz als Duldung muss auch keineswegs beleidigend sein, wenn man nicht schon die Missbilligung als solche als Kränkung/Beleidigung versteht. Beleidigend wird Missbilligung meines Erachtens erst dann, wenn sie mit Diskriminierung verbunden ist – etwa wenn ein Rechtsradikaler einen Einwanderer als Schmarotzer oder ein Muslim eine junge Frau wegen ihrer westlichen Lebensart als Hure bezeichnet.

b.) Toleranz als Koexistenz
Diese Form der Toleranz resultiert aus reinem Nützlichkeitsbzw. machtpolitischen Kalkül. Toleriert wird, so der polnischenglische Philosoph Leszek Kołakowski, »was aus Mangel an Mitteln nicht zu besiegen ist«. Und jene, die toleriert werden, verdanken »dies meist ihrer Stärke, die es ihren Gegnern nicht erlaubt, sie gänzlich zu vernichten«.[37] Toleranz als Koexistenz ist somit Folge der politischen Einsicht, dass Kooperation bei

etwaigem Kräftegleichgewicht für beide Seiten nützlicher ist als Konfrontation und Aggression – so wie zur Zeit der »friedlichen Koexistenz« nach dem Zweiten Weltkrieg, als sich die westliche Welt und die Sowjetunion aufgrund des atomaren Wettrüstens in einer machtpolitischen Patt-Situation befanden.

c.) Toleranz als Respekt

Der Tolerierende sieht seine Meinung zwar als die überlegene oder jedenfalls die für ihn angemessenere an. Gleichzeitig aber empfindet er Achtung für die Position eines anderen, weil sie in sich konsistent, authentisch, ehrlich und eventuell ebenfalls gut begründet ist. So kenne ich viele Christen, die Anhänger anderer Religionen oder Agnostiker aufrichtig schätzen, und ich kenne Konservative, die die Auffassungen von Linken achten. Toleranz als Respekt erfolgt aus Achtung vor der freien inneren Entscheidung des Anderen: Weil dem Anderen die gleiche Würde eignet wie mir selbst, wird sie für mich, will ich denn moralisch handeln, quasi zu einem Gebot.

Die Haltung des Respektes ist auch geboten, weil niemand ausschließen kann, dass der Andere ebenfalls oder zumindest in Teilen recht hat. »Wir alle sind auf Toleranz angewiesen und haben sie zu gewähren, weil niemand immer recht hat«, sagte nach bitterer Erfahrung der Schriftsteller Manès Sperber, als er sich vom Kommunismus losgesagt hatte. Wir sollten uns also die Möglichkeit offenhalten, dass andere Positionen das eigene Denken und Tun schärfen oder in Teilen auch korrigieren und damit die Chance einer Erweiterung des eigenen Selbst bieten können.

d.) Toleranz als Liebe

Bei dem Psychoanalytiker Alexander Mitscherlich stieß ich auf die Formulierung, im Verhältnis von Mutter und Kind könne Toleranz auf einem »biologisch vorbereiteten Verstehen« aufbauen, soll heißen: die symbiotische Beziehung befähigt die

Mutter, zunächst ungewöhnlich viel Geduld im Umgang mit dem Kleinkind aufzubringen.[38] Auch später bei Erwachsenen vermögen Gefühle innerer Verbundenheit und innerer Einheit mit dem Partner, mit Kindern oder Eltern sogar offenkundige Widersprüche hintan zu stellen. Menschen sind aus Liebe oftmals bereit, ein Verhalten zu tolerieren, das sie bei anderen scharf missbilligen oder verurteilen und gegenüber anderen Personen als falsche Nachsicht kritisieren würden. Diese Art von Toleranz lässt sich sicher nicht generell als Tugend beschreiben, aber sie ist offenkundiger Teil der Wirklichkeit – und unter Umständen hilfreich, weil sie Menschen länger als das Umfeld zu dulden/akzeptieren und damit zu integrieren vermag.

V.

Toleranz wird nur zu gewähren und zu erwarten sein, wenn Tolerierende und Tolerierte sich einem gemeinsamen Dritten verpflichtet fühlen. Jeder kann sogar am Wahrheitsanspruch seiner Meinung oder Religion festhalten, wenn er gleichzeitig darauf verzichtet, ihn um jeden Preis gegenüber dem anderen durchzusetzen. Wenn ihm das friedliche Miteinander zur Richtschnur wird, hat er eine übergeordnete Verbindlichkeit akzeptiert, die dem Wohl aller dient und deshalb von allen Verschiedenen anzuerkennen ist.

In unserem Grundgesetz kommen unser politischer Wille und unser Wertebewusstsein zum Ausdruck. Es hat die Möglichkeit und die Kraft, eine humane Verbindlichkeit zu schaffen, die uns vereint, ohne uns gleichförmig zu machen. Fehlt dieses verbindende und verbindliche Element, dann fehlt eine Mindestloyalität gegenüber dem Staat, ja sogar gegenüber dem Mitbürger – und die Gemeinschaft fällt auseinander.

VI.

Der Toleranz ist ein innerer Widerspruch zu eigen. Denn Toleranz, in aller Konsequenz gelebt, führt zur Abschaffung der Toleranz.

Deshalb ist Toleranz, will sie sich schützen, zur Inkonsequenz verurteilt: Sie muss intolerant sein gegenüber jenen, die die Toleranz abschaffen wollen. Es gab und gibt in Geschichte und Gegenwart nämlich reichlich Gesellschaftsmodelle, die den Menschen eine politische oder religiöse Heilslehre angeblich zu ihrem Besten oktroyieren wollen. Deshalb ist Karl Poppers Mahnung so wichtig: »Wenn wir die uneingeschränkte Toleranz sogar auf die Intoleranten ausdehnen, wenn wir nicht bereit sind, eine tolerante Gesellschaftsordnung gegen die Angriffe der Intoleranz zu verteidigen, dann werden die Toleranten vernichtet werden und die Toleranz mit ihnen.« Und er schloss deshalb: »Im Namen der Toleranz sollten wir uns das Recht vorbehalten, die Intoleranz nicht zu tolerieren.«[39]

Entsprechend hat Carlo Schmid argumentiert, der bedeutende Denker und Gestalter der Nachkriegs-SPD, einer der Väter des Grundgesetzes: »Demokratie ist nur dort mehr als ein Produkt einer bloßen Zweckmäßigkeitsentscheidung, wo man den Mut hat, an sie als etwas für die Würde des Menschen Notwendiges zu glauben. Wenn man aber diesen Mut hat, dann muss man auch den Mut zur Intoleranz denen gegenüber aufbringen, die die Demokratie missbrauchen wollen, um sie aufzuheben.«[40]

VII.

Die Notwendigkeit zur Intoleranz ergibt sich auch gegenüber denen, die die Würde des Menschen verletzen. Deswegen kann es für Diskriminierungen jeder Art keinerlei Toleranz geben – das Grundgesetz hält es fest. Wir dürfen uns nicht daran gewöhnen, dass rote Linien mutwillig und folgenlos überschritten werden. Einer Intoleranz, wie sie in »gruppenbezogener Menschenfeindlichkeit«[41] zum Ausdruck kommt, gilt es, entschlossen entgegenzutreten, besonders in einer Zeit, in der extremistische Auffassungen auf verschiedenen Seiten an Unterstützung gewinnen. Nicht zu tolerieren ist es, wenn Bürger ihre Kritik an der Migrationspolitik der Regierung mit Hass, Aggressivität und Rassismus gegenüber Migranten und Menschen aus Einwandererfamilien verbinden. Nicht zu tolerieren ist umgekehrt aber auch, wenn Migranten und Menschen aus Einwandererfamilien mit Hass und Aggressivität gegenüber Einheimischen auftreten.

VIII.

Differenz zu ertragen und mit der Differenz zu leben, heißt keineswegs, sie passiv und als unveränderbar hinzunehmen. Toleranz schließt den Wunsch nach Veränderung und Erneuerung, schließt vor allem Diskussion nicht aus, weder für den Tolerierenden noch für den Tolerierten. Aus dem Aufbegehren derer, die einst ausgegrenzt wurden, sind nicht selten emanzipatorische Impulse für die ganze Gesellschaft hervorgegangen. Homosexualität war in der Bundesrepublik/West und in der DDR lange Zeit verboten, heute ist Homosexualität legalisiert. Andere Auffassungen, die zwar noch geduldet, aber von Teilen massiv abgewertet wurden, haben an Respekt gewonnen. Noch vor wenigen Jahrzehnten etwa galten Umweltaktivisten traditionellen Parteien als antimoderne, weltfremde Kraft. Inzwischen gehört der Klimaschutz zum Kernprogramm fast aller Parteien. Und Frauen- und fremdenfeindliches Verhalten, das zwar gegen das Diskriminierungsverbot in den deutschen Nachkriegsverfassungen verstieß, aber oftmals stillschweigend geduldet wurde, muss heute mit einer sensiblen Öffentlichkeit rechnen, die Sexismus und Benachteiligung anklagt. Daher plädiere ich für eine kämpferische Toleranz.

IX.

Toleranz ist menschenmöglich, aber sie geht aus einem Lernprozess hervor. Sie muss von jedem Individuum, jeder Generation und jeder Gesellschaft immer wieder neu erworben, ihnen oft auch abgerungen werden.

Toleranz kann nicht erhalten bleiben ohne die ständige Bereitschaft der Einzelnen, die sich permanent verändernde Welt wahrzunehmen. Und sie bleibt ein Akt der (Selbst-)Überwindung ein Leben lang. Angesichts der oft verwirrenden Veränderungen gilt es beständig, das Befremden oder gar die Angst zu überwinden, die neue Gegebenheiten auslösen können und die nicht selten zu Abschottung, Ablehnung und geschlossenen, festgefügten Weltbildern führen. Es gilt aber auch, sich immer wieder vor Augen zu führen, dass die Kenntnis vom »Anderen« seit jeher nicht nur die eigenen Gewissheiten infrage stellen konnte, sondern Neues zu fördern vermochte. Insofern sind neue Welten eben nicht nur angsteinflößend, sondern auch verheißungsvoll. Ihnen mit Toleranz zu begegnen, macht uns nicht nur menschlicher, sondern auch zukunftsfähiger.

X.

Wer Toleranz bejaht und lebt, wird sich wünschen, dass alle Menschen tolerant sein sollten. Ein *Zwang* zu tolerantem Verhalten ist allerdings ein problematischer Weg, denn er kann den Einzelnen überfordern. Die Toleranz ist kein Potenzial, das jedem jederzeit und jedem gleichermaßen zur Verfügung steht und grenzenlos ist. Wie weit der Einzelne zur Toleranz fähig ist, hängt vielmehr ab von seiner individuellen Belastungsfähigkeit, von seiner Ich-Stärke, davon, wie weit er tolerantes Verhalten früher einüben konnte und ob er sich in der Toleranz-Beziehung in der Rolle des Stärkeren oder Schwächeren befindet.

Wenn jemand zu viel von sich erwartet oder wenn zu viel von ihm erwartet wird, kann er unter Umständen zuvor eingeübte Verhaltensregeln nicht mehr einhalten. Der Mensch reagiert dann entweder mit Trotz und Aggression oder mit Flucht. Dasselbe trifft im Übrigen für ganze Gesellschaften zu: deutlich zu sehen bei den unterschiedlichen Haltungen, die europäische Gesellschaften in Bezug auf die Flüchtlingsfrage einnehmen.

XI.

Es kann auch verführerisch sein, *nicht* tolerant zu sein. Der Mensch braucht dann kein eigenes Urteil zu entwickeln und eigenverantwortlich zu handeln, vielmehr kann er sich in einem autoritären System auf mächtige ideologische und politische Vorgaben stützen, auf dogmatische Glaubenssicherheit und raffiniert gesicherte Herrschaftssysteme. Die Moral, die Religion oder Ideologie und sogar das Recht erlauben und erleichtern ihm in derartigen Gesellschaftssystemen ein aggressives Ausagieren von Wut oder Kränkung. Ein intoleranter Mensch braucht keine Empathie zu entwickeln, sondern kann all seine Ängste und Schwächen auf jemanden projizieren, der sich als Feindbild eignet. Im Wahn, im Besitz letzter Wahrheiten zu sein, ist seine Ideologie eine Spielart von Fanatismus und Fundamentalismus. Ein Disput mit Anhängern solcher Ideologien ist oft nicht oder nur sehr schwer möglich. Denn sie fürchten »die tolerante Einstellung als eine Gefahr der Identitätsauflösung, des Verlustes des eigenen Selbst«.[42]

XII.

Trotz allem: Toleranz »lohnt« – und zwar individuell wie politisch. Die Überwindung, die in jedem toleranten Akt steckt, wirft als Belohnung ein Freiheitserlebnis ab. Jeder tolerante Akt führt dem Menschen vor Augen: Es gibt kein genetisch verankertes Diktat, das ihn zwingt, in Andersdenkenden und -handelnden blindlings einen Feind, ein Objekt seiner Aggression wahrzunehmen. Er sieht, dass er sich der Verführung widersetzen kann, Destruktives zu adeln und etwa als Dienst für das Vaterland oder als Märtyrertum für Allah zu preisen. Der Mensch ist frei vom Zwang der Unduldsamkeit, der Selbstverhärtung, der Feindseligkeit. Toleranz vermittelt die ermächtigende und beglückende Erfahrung: Der Mensch hat eine Wahl – ich habe eine Wahl.

Was aber folgt aus diesen Überlegungen und definitorischen Festlegungen, wenn ich mit ihnen auf unsere Gegenwart blicke? Hilft
uns Toleranz, die großen Umbrüche, die wir augenblicklich ganz
offenkundig durchlaufen, besser zu verarbeiten oder inwiefern
stützt sie uns, problematische Entwicklungen abzuwehren?

Am Beginn einer neuen Epoche:
(In)Toleranz in Zeiten des Umbruchs

Die Repräsentanzlücke

Sie trägt ganz unterschiedliche Gesichter. In Großbritannien nahm sie die Gestalt des Brexit an, in Griechenland, Spanien und Italien tauchte sie zunächst in links- und später auch in rechtspopulistischem Gewand auf, in Frankreich trug sie gelbe Westen, in Chemnitz zeigte sie sich als Wut auf Asylbewerber und die Regierung, in vielen nordeuropäischen Staaten äußerte sie sich in der Stimmabgabe für rechtspopulistische Parteien. Ich spreche von der Unzufriedenheit. Ich spreche auch von Angst, Enttäuschung, von Kränkung und Wut, die sich bei manchen zu rechts-, bei anderen zu linkspopulistischen und bei einigen gar zu rechtsextremistischen Positionen geformt haben.

Manchmal stelle ich mir einen Kessel vor, der von verschiedenen Seiten so lange unter Druck gesetzt wird, bis die schwächste Stelle einen Riss erhält. Die schwächste Stelle kann zwar repariert werden, aber wird der hohe Druck nicht heruntergefahren, ist der nächste Schaden vorprogrammiert. Ähnlich interpretiere ich die augenblicklichen Proteste. Sie betreffen partielle Konflikte – und sind doch alle Signale eines allgemeinen und vielfältigen Überdrucks. Ja, die Griechen protestierten gegen die Kürzung von Löhnen und Renten, die Franzosen wollten niedrigere Steuern und die

Chemnitzer weniger Flüchtlinge und deren bessere Integration. Aber diese Teilkonflikte können nur deshalb so viele Menschen auf die Straßen treiben, weil in ihnen die Energie viel tiefergehender Widersprüche wirkt.

Deswegen tauchen überall auch Forderungen nach Ablösung des »Systems« auf, obwohl gar keine konkreten Vorstellungen über ein neues System existieren. Die Mehrheit der Unzufriedenen hängt keinen kommunistischen oder nationalistischen oder anderen ideologischen Konzepten an. Aber sie wünscht sich eine starke Autorität, die endlich durchgreift, damit das Alte wieder so funktioniert wie in alten, idealisierten Zeiten – und sie nicht als die Verlierer des allumfassenden Wandels zurücklässt.

Als es in Deutschland begann, waren fast alle Politiker und Kommentatoren verunsichert und zu Teilen rat- und sprachlos: Auf den Demonstrationen der »Patriotischen Europäer gegen die Islamisierung des Abendlandes« (Pegida) trafen sich Menschen eindeutig rechtsradikalen, populistischen Gedankenguts, Menschen mit ausgewiesen fremdenfeindlichen und völkischen Auffassungen, einige sogar kriminell – aber auch »ganz normale« Bürger, die sich vorher politisch kaum engagiert hatten, in ihrem Bekannten- und Freundeskreis nicht durch extremistische Äußerungen hervorgetreten und äußerst selten Mitglieder rechtsradikaler Parteien gewesen waren. Doch nun zogen sie plötzlich auf die Straßen, um es »denen« zu zeigen, Politikern des »Systems« wie der Bundeskanzlerin Angela Merkel oder auch mir, der ich damals noch Bundespräsident war. Für diese grölenden und trillerpfeifenden Demonstranten am Rande der Feierlichkeiten zur deutschen Einheit 2016 in Dresden symbolisierten wir die ebenso abgehobene wie gefährliche »Elite«, die das Land in die Überfremdung und in den Untergang führt.

Bei allem Verständnis dafür, dass umfassender Wandel Verunsicherung auslöst und Ängste hervorruft, frage ich mich: Woher kamen plötzlich diese Wut und dieser Hass? Warum konnten Hetze und Ressentiment, populistische und nationalistische Parolen plötzlich auch jene in ihren Bann ziehen, die noch gestern unauffällig und vielleicht sogar zufrieden gewesen waren? Und warum war es keineswegs beruhigend, sich zu sagen, dass nun auch in Deutschland angekommen war, was in anderen europäischen Ländern längst zum Alltag gehörte?

Ohne die Migration, wie sie 2014 einsetzte und 2015/16 ihren Höhepunkt erreichte, wäre ein Aufschwung solcher Bewegungen und Parteien wie Pegida und der Alternative für Deutschland (AfD) schwer vorstellbar gewesen. »Natürlich verdanken wir unseren Wiederaufstieg in erster Linie der Flüchtlingskrise«, gestand denn auch der AfD-Vorsitzende Alexander Gauland.[43] »Man kann diese Krise ein Geschenk für uns nennen.« Anfang 2015 wuchs die Zahl der Demonstranten in Dresden bis auf 20 000 an. Sie protestierten gegen die angebliche Islamisierung des Abendlandes und forderten den Schutz der »christlich-jüdischen Abendlandkultur«. Im Herbst 2017 zog die AfD mit 12,6 Prozent der Stimmen als drittstärkste Partei in den Bundestag ein.

Inzwischen wird kaum noch jemand bestreiten, dass Deutschland zu Beginn der Flüchtlingskrise an Meinungspluralität einbüßte. Ich schätze, dass in keiner anderen Frage alle traditionellen Parteien und alle großen Medien so ähnliche Positionen bezogen und so ähnliche Urteile gefällt hätten. Die Willkommenskultur beherrschte die politischen Äußerungen und die Berichte in den Medien. Es gab medial fast nur Empathie und Solidarität mit den Geflüchteten, die zu Hunderttausenden über eine de facto offene Grenze ins Land kamen. 82 Prozent der Berichterstattung über die Migrationskrise seien positiv gewesen, zwölf Prozent rein berichtend, und nur in sechs Prozent der Artikel sei die Flüchtlingspolitik problematisiert worden. So die Ergebnisse einer Medienstudie im Sommer 2016.[44] Nach meiner Auffassung ist diese Übereinstimmung keineswegs Folge irgendeiner Manipulation. Die Medien stellten vielmehr heraus, dass die Mehrheit der Deutschen eben nicht jene unterstützte, die Hass gegen Fremde schürten und Flüchtlingsheime attackierten oder anzündeten. Aber für Verschwörungstheoretiker genügte es, die Übereinstimmung in ihrem Sinn zu interpretieren: Danach stand an der Spitze des Staates ein Kartell von Volksverrätern, dessen Ziel die »Umvolkung« war. Und Journalisten waren danach nur allzu bereit, im Ausverkauf nationaler Interessen mit den Politikern gemeinsame Sache zu machen.

Sachgerechte Kritik an der Asylpolitik fand lange kaum Gehör. Auch seriöse Kritiker wurden moralisch angegangen, bevor überhaupt eine Debatte stattgefunden hatte. Der niederländische Soziologe Paul Scheffer berichtete beispielsweise von einem Interview für »eine große liberale Wochenzeitschrift«, an dem die Redaktion so lange herumfeilte, um ihre Distanz gegenüber Scheffers merkelkritischer Position zu verdeutlichen, bis er seinerseits die Veröffentlichung ablehnte. »Das erste Mal in 30 Jahren.«[45] Einerseits zeigten ausländische Medien Bewunderung für ein Deutschland, das wegen seiner Vergangenheit eine besondere Sensibilität und überdurchschnittliche Verantwortungsbereitschaft für Verfolgte zeigte. Andererseits reagierten sie irritiert und befremdet. War das nicht ganz einfach naiv, Hunderttausende einfach ins Land zu lassen, deren Identität nicht zu überprüfen war?

Einer der Ersten, die offen Selbstkritik übten, war der Chefredakteur der *Zeit*, Giovanni di Lorenzo. Journalisten hätten weder die Umstände der Grenzöffnung recherchiert: Sie sollte eine Ausnahme sein und wurde die Regel, noch hätten sie die Erklärungen der Bundesregierung hinterfragt: Danach waren die Grenzen angeblich nicht zu schützen, es sei denn, man würde den Schießbefehl wieder einführen. Außerdem – so di Lorenzo – habe nahezu jeder Flüchtling in unserer überalterten Gesellschaft als künftige Bereicherung gegolten. Ängste in der Bevölkerung wurden ignoriert, der Flüchtling als Opfer galt per se als guter Mensch. Zumindest in der Anfangsphase seien Journalisten »geradezu beseelt« gewesen von ei-

ner historischen Aufgabe.[46] Insofern hätten sich die Medien, gestand di Lorenzo auf einem Symposium im April 2016 im Schloss
Bellevue, ihren schlechten Ruf »ein Stück weit auch verdient«.

Als Bundespräsident greift man nicht unmittelbar in das politische Geschehen ein. Diesen Grundsatz habe ich immer beher-
zigt. Trotzdem nimmt man Einfluss auf die Politik. So wollte ich
einerseits nicht den Elan bremsen und nicht die offene Haltung
kritisieren, die Hunderttausende Ehrenamtliche bei der Flücht-
lingsaufnahme beflügelten – das war und ist ein schönes, offenes, hilfsbereites Deutschland. Andererseits ließen und lassen sich
aber auch die Probleme nicht ignorieren, die aus der massenhaf-
ten Einwanderung resultieren. Anlässlich der Interkulturellen Woche 2015 habe ich daher gesagt: »Unser Herz ist weit. Aber unsere
Möglichkeiten sind endlich.« Ich wünschte und wünsche mir weiter Empathie und Solidarität, aber kein Wegschauen, keine falsche
Toleranz und eine rationale Asyl- und Zuwanderungspolitik.

Ich weiß, was christliche Nächstenliebe zu bewegen vermag.
Ich habe, wie bekannt, einen großen Teil meines Lebens als Pastor
gearbeitet. Ich habe auch große Hochachtung vor Menschen, die
durch ihr Engagement beweisen, dass sie Rassismus und Fremdenfeindlichkeit aktiv entgegentreten. Außerdem hat mich die Erfahrung gelehrt, dass sich hinter einer Haltung des »Man wird doch
noch mal sagen dürfen…« nicht unbedingt der Wunsch verbirgt,
ein Problem möglichst in seiner ganzen Vielschichtigkeit darzu-
stellen und konstruktiv zu lösen. Nicht selten verbirgt sich dahinter schlicht Ressentiment. Deshalb ist es zweifellos richtig, dass
Politiker vor Verallgemeinerungen warnen, wenn etwa Vergewal-
tigungen, Straftaten oder Attentate durch einzelne Flüchtlinge bekannt werden. Tatsache ist aber auch, dass, wenn negative Mel-
dungen über Flüchtlinge verschwiegen werden, der Verdacht auf
Manipulation oder bewusste Vertuschung genährt wird.

Inzwischen hat sich die Situation verändert. Traditionelle Parteien haben Einwände gegen die Flüchtlingspolitik der Regierung

aufgegriffen. Mit der AfD ist eine Partei in den Bundestag eingezogen, durch die sich ein Teil der Unzufriedenen vertreten sieht. In
den Medien tauchen nun umgekehrt Berichte über gelingende Integration leider fast so selten auf wie zuvor über deren Probleme.
Dass vernachlässigte Positionen ihren Platz in der Öffentlichkeit
gefunden haben, ist zu begrüßen. Aber es ist für mich bitter, wenn
Menschen immer noch glauben, sich mit Populisten und Rassisten verbünden zu müssen, damit ihre Stimme Gehör findet. Ich
halte es für außerordentlich wichtig, dass Probleme statt am rechten Rand in der Mitte der Gesellschaft diskutiert werden.

Desillusionierung oder: Kein Ende der Geschichte

Wir hatten viel innergesellschaftlichen Zündstoff nach 1989, angefangen von den Diskussionen über die Treuhand und die Aufarbeitung der Hinterlassenschaften von SED und Stasi über die
Kontroverse wegen der Beteiligung der Bundeswehr im Jugoslawi-
enkrieg bis hin zum sogenannten Reformstau. Doch insgesamt, so
meine Erinnerung, waren wir trotz allem in einer Aufbruchsstim-
mung. Der Kommunismus war aufgrund seiner inneren Widersprüche und des Widerstands der Bevölkerung zusammengebro-
chen. Die mittelosteuropäischen Staaten wurden, wie von ihren
Bürgern ersehnt, Mitglieder der Europäischen Union und der
NATO und damit Teil des westlich-demokratischen Projekts. Europa war damit beschäftigt, wieder ein geeinter Kontinent zu werden. Die Geschichte schien auf dem Weg in eine bessere Zukunft.

Kaum jemand meldete Zweifel an: Die liberale Demokratie
hatte die ideologische Schlacht im 20. Jahrhundert gewonnen. Sie
galt als Siegerin der Geschichte, Wohlstand und Freiheit waren nirgends so entwickelt wie in den westlichen Demokratien. Die liberale Demokratie war das überlegene Ordnungsmodell und stand
für ein friedliches Zusammenleben – ein leuchtendes Vorbild für

die Zukunft aller. In der tausendfach zitierten Einschätzung von Francis Fukuyama hatten wir das endgültige, menschenfreundliche Ziel der Geschichte erreicht. Auch ich dachte so. Oder besser gesagt: Ich konnte mir nichts anderes vorstellen.

Für die Fortsetzung einer linearen demokratischen Entwicklung ließen sich auch langfristige Entwicklungen anführen. Seitdem die repräsentative Demokratie entstand, hat sie sich kontinuierlich ausgebreitet. Statt knapp einer Handvoll Länder wie im 19. Jahrhundert, galten 2006 84 Staaten als voll oder teilweise demokratisch.[47] Selbst wenn es Einbrüche in der Entwicklung zur Demokratie gab wie durch Faschismus, Kommunismus oder bürokratisch-autoritäre Systeme, ist die Zahl der Demokratien doch nie wieder zurückgefallen auf das ursprüngliche Niveau, und meistens folgte einem Abstieg eine Wiederbelebung.

Zudem belegten die Umfragen des World Values Survey, der weltweiten Werte-Erhebung aus fast 100 Ländern, seit den 1980er Jahren einen kontinuierlichen Mentalitätswandel. Wenn der existenzielle Druck in einer Gesellschaft nachlässt, so der durchgängige Befund, wenn die Menschen wohlhabender werden, mehr Bildungschancen haben, einen verbesserten Zugang zu Informationen und ein entwickeltes soziales Netz, verändert sich ihre Wertehierarchie. Sie werden offener. Traditionelle Werte wie Religion, Achtung vor Autoritäten sowie Rituale und Normen treten in den Hintergrund, säkulare und rationale Argumente gewinnen an Bedeutung. Freiheit und Selbstverwirklichung bedeuten den Menschen mehr als Sicherheit, Autonomie gilt ihnen mehr als Autorität. Und Vielfalt und Kreativität ziehen sie der Einförmigkeit und der Disziplin vor.[48]

Dieser Wertewandel, so die Forscher, war einschneidend für die Bedeutung von Toleranz. Solange Menschen nämlich ihre Grundbedürfnisse sichern müssten, begegneten sie Fremdgruppen mit Misstrauen, Diskriminierung oder auch mit Feindschaft. Seien Menschen hingegen von existenziellen Sorgen entlastet, entwickelten sich eher Toleranz und Solidarität über die eigene Wir-Gruppe hinaus.

Ein Blick auf unsere jüngste Geschichte bestätigt diese These. Das Feld für Toleranz hat sich in den letzten Jahrzehnten erweitert, zum Teil sogar erheblich. Ich denke an die Homosexuellen. In der Generation meiner Eltern galt Homosexualität noch vielen als Krankheit. Homosexuelle standen im gesellschaftlichen Abseits und konnten bestraft werden, wenn sie ihre Neigung lebten. Heute ist Homosexualität nicht nur straffrei, gleichgeschlechtliche Paare können auch die Ehe eingehen. Ich denke an die Frauen. In zwei großen Schüben am Ende des Ersten und des Zweiten Weltkriegs erhielten sie in fast allen europäischen Staaten das Wahlrecht. Und während alle Generationen vor mir, ob es Philosophen, Mediziner, Theologen oder normale Bürger waren, Abtreibungen ausschließlich als Sünde gegenüber dem werdenden Leben gesehen und als unmoralisch empfunden haben, sind im Gesetz über das Verbot des Schwangerschaftsabbruchs mehrere Ausnahmeregelungen zugunsten des Selbstbestimmungsrechts der Frauen eingeführt worden, die Abtreibungen möglich machen. Heute werden außerdem sehr unterschiedliche Lebensentwürfe und Partnerschaften gelebt, nicht notwendigerweise mit juristischer Beglaubigung, doch nur selten stoßen sie auf die Missbilligung des Umfelds.

Wir könnten viele weitere Verhaltensweisen anfügen, die einst verboten und missachtet waren und jetzt zunehmend toleriert werden, wenn nicht gleich durch den Gesetzgeber, so doch durch die normative Kraft des Faktischen. Eigentlich ist eine große Erfolgsgeschichte zu verzeichnen: es gibt mehr Demokratie, mehr Rechte, mehr Freiheiten für mehr Menschen, auch mehr Toleranz. Eine ganze Zeitlang schien es nicht nur Wunschdenken: Unter demokratischen und friedlichen Umständen befinden wir uns auf einem ununterbrochenen Weg zu mehr Zivilisierung.

Doch statt mehr Zuversicht sehen wir heute mehr Irritation. Ein friedlicher Automatismus hin zu einer offenen, liberalen Gesellschaft hat sich nicht eingestellt. Und: Die liberale Demokratie ist in etlichen Staaten, in denen sie schon heimisch geworden war, auf dem Rückzug, in Lateinamerika ebenso wie in den USA und in einigen europäischen Staaten. Einige Schwellenländer haben zudem bewiesen, dass der Weg zu höherem Lebensstandard nicht zwangsläufig über die Demokratie führt; das autoritäre China ist ökonomisch die zweitgrößte Volkswirtschaft der Welt geworden. Und Russland hat sich trotz wirtschaftlicher Schwäche mit der Annexion der Krim, der militärischen Einmischung in der Ostukraine und der Unterstützung des Assad-Regimes im syrischen Bürgerkrieg als militärisch globaler Player zurückgemeldet. Es ist desillusionierend: Aber es gibt keine lineare Entwicklung zu mehr Demokratie, Frieden und Wohlstand, auch nicht zu mehr Offenheit und Toleranz. Die Entwicklung der letzten Jahre zeigt, dass sich der positive Trend keineswegs unbegrenzt fortsetzen muss, dass Erreichtes manchmal sogar wieder rückgängig gemacht bzw. in einer Art Status quo eingefroren werden kann.

In mehreren europäischen Ländern zeigte sich zudem, dass eine gute wirtschaftliche Lage Menschen keineswegs mehr davon abhält, populistisch oder radikal zu wählen. Es geht den Menschen in Deutschland so gut wie keiner Generation zuvor. Die Wirtschaft verzeichnete den längsten Aufschwung seit der Wiedervereinigung, die Arbeitslosenquote betrug im Sommer 2018 nur etwas über fünf Prozent. Trotzdem schaffte es die Alternative für Deutschland, in Länderparlamente und in den Bundestag gewählt zu werden. Auch in den Niederlanden und in Schweden, wo das Wirtschaftswachstum ebenfalls anhält und die Arbeitslosigkeit niedrig ist, erzielte die neue Rechte bei Parlamentswahlen zwischen 17 und 20 Prozent. Am auffälligsten ist die Diskrepanz zwischen wirtschaftlicher Lage und politischem Votum in Polen: Seit dem Ende des Kommunismus kann das Land auf einen ungebremsten wirtschaftlichen Erfolg verweisen, das Pro-Kopf-Einkommen hat sich zwischen 1991 und 2017 verfünffacht.[49] Dennoch wurde

2015 die liberal-konservative Bürgerplattform (PO) abgewählt, die nationalkonservative Partei Recht und Gerechtigkeit (PiS) übernahm den Sejm mit absoluter Mehrheit. Sie hat viele Wähler zwar mit einem großen sozialen Versprechen gelockt, obendrein aber das verbreitete Bedürfnis nach einer stärkeren Besinnung auf nationale Identität und nationale Souveränität befriedigt.

»It's the economy, stupid!« – »Es ist die Wirtschaft, Dummkopf!« hatte es im Wahlkampf von Bill Clinton geheißen, was bedeutete: Wenn die Republikaner die Wirtschaft in die Rezession geführt haben, müssen sie sich über eine Wahlniederlage nicht wundern. »It's the culture, stupid!« hieß es nach dem letzten amerikanischen Wahlkampf, was meinte: Wenn die Liberalen mit Arroganz auf die kulturelle Verortung großer Bevölkerungsteile blicken, auf ihre Traditionen und ihr Bedürfnis nach Heimat und Familie, müssen sie sich über den Wahlsieg von Trump nicht wundern. Ich glaube tatsächlich, dass die Kultur heute eine eminent wichtige Rolle für politische Optionen spielt, auch wenn wirtschaftliche Fragen weiterhin von Relevanz sind. Doch auch der Verweis auf die Kultur vermag meines Erachtens noch nicht endgültig die Flucht in autoritäre und populistische Bewegungen zu erklären.

Wir leben im Übergang vom Industrie- zum Informationszeitalter. Digitalisierung hat Globalisierung beschleunigt, Globalisierung heute ist ohne Digitalisierung undenkbar. Die technische und technologische Struktur der Gesellschaft verändert sich in einem Maße, wie es seit der Industrialisierung nicht der Fall war.[50] Die Welt von morgen – das sind digitalisierte Fabriken, vernetzte Haushaltsgeräte, künstliche Intelligenz. Giganten wie Facebook, Apple, Amazon oder Google haben eine weltweite Monopolstellung erreicht, die sie wirtschaftlicher und politischer Einflussnahme weitgehend entzieht.

Der vor kurzem verstorbene polnisch-englische Soziologe Zygmunt Bauman sprach von einer Aneinanderreihung von »Herausforderungen, die in der Geschichte ohne Beispiel sind«.[51] Oder anders gesagt: Es geschieht einfach viel zu viel zur selben Zeit, es geschieht alles viel zu schnell, und zu vieles geschieht zu unkontrolliert – und das überall, in Politik, Wirtschaft und Kultur. Nicht nur Teile der Politik, sondern auch Teile der Bevölkerung haben große Fragen wie etwa der Digitalisierung oder dem Klimawandel über längere Zeit nicht die Aufmerksamkeit geschenkt, die ihnen aufgrund ihrer Bedeutung für die Zukunft der Menschheit zukommt. Trotz der vielen Debatten, die geführt wurden, hinkt die effiziente Bearbeitung großer Themen immer noch hinterher. Durch aktuelle Herausforderungen wie die Wiedervereinigung und durch Krisen wie die Finanz- oder Flüchtlingskrise wurden sie weitgehend überdeckt bzw. ins zweite Glied verschoben.

Und so stehen wir vor einer Unzahl von Herausforderungen, auf die wir noch keine befriedigenden Antworten zu geben vermögen. Wird es beispielsweise gelingen, den Klimawandel aufzuhalten, oder wird menschliches Leben, wie es der Astrophysiker Stephen Hawking mutmaßte, aufgrund der Erderwärmung auf unserem Planeten unmöglich werden? Wird der Mensch die Herrschaft über die künstliche Intelligenz behalten, oder wird umgekehrt die Technologie imstande sein, den Menschen zu überwachen, zu »optimieren« und zu manipulieren? Wer werden wir, wenn die Biotechnologie nicht mehr nur Krankheiten repariert, sondern dazu übergeht, den ganzen Menschen zu »verbessern« und gentechnisch Einfluss etwa auf seine Alterungsprozesse, seine Lebensdauer oder die genetische Ausstattung seiner Nachkommen zu nehmen?[52] Wird überhaupt noch die Freiheit existieren, die wir jetzt als Grundvoraussetzung selbstbestimmter menschlicher Existenz sehen, oder werden wir den Entscheidungen von Big-Data-Algorithmen unterworfen sein – und uns ihnen freiwillig unterwerfen?

Und zu all dem kommen noch der demografische Wandel vor allem in Afrika und der damit entstehende Migrationsdruck. Migration ist wahrscheinlich nicht »die Mutter aller Probleme«, aber nirgends können Vorbehalte und Ängste so gut andocken wie an den ganz konkreten »Fremden«, die in den Straßen meist schon aufgrund ihres Äußeren erkennbar sind. Flüchtlinge und Migranten sind der sichtbare, fühlbare, gegenständliche Teil eines Wandels, der ansonsten oft noch eher diffus und abstrakt daherkommt.

Es ist wohl so: Allzu oft fürchten Menschen, was sie verändert. Wandel wird darum wohl immer von ambivalenten Gefühlen begleitet sein. Hoffnung auf das Bessere wird eine dunkle Schwester haben: die Furcht vor der Moderne.

Der Verstand kommt nicht mehr annähernd hinterher, die Seele schon gar nicht. Und selten dürfte uns so bewusst geworden sein, wie begrenzt angesichts derart grenzüberschreitender Phänomene die Möglichkeiten von Nationalstaaten und selbst von Staatenbündnissen geworden sind. Manche sagen, der Mensch würde wieder Demut lernen. Andere konstatieren beunruhigt Hilflosigkeit und Ohnmacht. Rein logisch betrachtet, bräuchten wir angesichts weltweiter Probleme eine Weltregierung mit vielen weisen Menschen. Oder einen guten Monarchen beziehungsweise einen Diktator mit gottähnlichen Fähigkeiten.

Gegenbewegung

Vor kurzem stieß ich auf einen Artikel von Ralf Dahrendorf aus dem Jahre 1997. Die Globalisierung, so schrieb der große liberale Denker damals in einer überregionalen Wochenzeitung, würde zur nächsten großen Herausforderung einer Politik der Freiheit.[53] Denn Globalisierung schaffe nicht nur weltweiten Handel, eine Informationsrevolution, neue Lebenschancen für ungezählte Millionen von Menschen. Sie vergrößere auch die Schere zwischen Arm und Reich, führe zur Entstehung einer Unterklasse, die keinen Zugang mehr zum Arbeitsmarkt habe, und gefährde damit den sozialen Zusammenhalt.

Heute mutet diese Prognose geradezu prophetisch an: Indem Globalisierung mehr Offenheit schafft, mehr Vernetzung, mehr globalen Spielraum, begünstigt sie diejenigen, die die neuen Produktivkräfte zu nutzen verstehen, die grenzüberschreitend agieren, deren Vorbild Bill Gates heißen mag oder Mark Zuckerberg oder Jack Ma, der Englischlehrer, der Chinas inzwischen größte Firmengruppe Alibaba gründete. Aber sie benachteiligt diejenigen, deren traditionelle Berufe überflüssig werden oder deren Arbeitsplätze in Billiglohnländer auswandern. Schon vor gut 20 Jahren sah Dahrendorf daher eine »massive Gegentendenz« voraus. Die Entgrenzung, die auf der einen Seite stattfindet, ruft auf der anderen Seite das Bedürfnis nach Zugehörigkeit hervor, ganz allgemein die »Suche nach Gemeinschaft«.

Dahrendorf sah die Hinwendung zu kleineren Räumen voraus. Und tatsächlich erleben wir heute, dass Regionen – wie beispielsweise Katalonien oder auch Schottland –, aber auch Nationalstaaten als Räume von Beheimatung wieder an Bedeutung gewinnen. Heimat ist wieder ein Thema geworden. Gleichgültig, wo Menschen nach Gemeinschaft suchen, überall geschieht es aus demselben einfachen Grund: Unter seinesgleichen braucht der Mensch weniger Diskriminierung zu fürchten, weniger Ausgrenzung, weniger Kränkung und weniger Vereinsamung. Unter seinesgleichen fühlt der Mensch sich zuhause. Und so sucht er ein ihn sicherndes und bestätigendes Kollektiv, das zudem noch Kräfte zur Durchsetzung von Interessen bündelt.

Dahrendorf war damals nicht der einzige Klarsichtige. Was ist, fragte sich auch der französische Politologe Pierre Hassner, wenn sich der Mensch durch die Erosion tradierter Ordnungen, gewachsener Familienbande und lang gepflegter Rituale und verinnerlichter Normen entwurzelt fühlt? Und er verteidigte schon vor 25 Jahren den liberalen Nationalstaat als Ausdruck des Bedürfnisses nach Identität und Gemeinschaft, nach Anerkennung und Zugehörigkeit, als Ausdruck »eines Bedürfnisses, das zum Wesen des Menschen gehört, das er jedoch besonders in Zeiten der Krise und des Zerfalls, der Globalisierung und Fragmentierung empfindet«.[54] Was ist, wenn die Metropolen wachsen, in den Provinzen die Arbeitsplätze wegbrechen und zwischen den urbanen und den ländlichen Teilen der Bevölkerung eine Entfremdung einsetzt? Schon vor 20 Jahren prognostizierte der französische Geograf Christophe Guilluy eine »Revolte des Frankreichs an den Rändern«, wie wir sie später mit den Gelbwesten erlebten.[55] Was ist, wenn sich die Bevölkerung durch Einwanderung zu schnell wandelt und den Einheimischen die Vielfalt zu bunt wird? Schon vor fünfzehn Jahren erklärte der britische Publizist David Goodhart, dass die Progressiven scheitern müssen, wenn sie Solidarität und Diversität gleichzeitig haben wollen. Denn wenn eine Gesellschaft zu divers wird, fühlt sich ein Teil der Bürger im eigenen Land nicht mehr zuhause, und seine Bereitschaft zum Teilen nimmt ab.[56] Es ist zu befürchten, dass in derartigen Situationen die Intoleranz und nicht die Toleranz wächst.

Bei Dahrendorf finden wir aber noch eine weitere interessante Vorhersage. Wenn Globalisierung sich in Räumen vollzieht, in denen noch keine Strukturen der Kontrolle erfunden wurden (wir denken sofort an Facebook, Amazon oder Google), wenn Globalisierung Institutionen der Demokratie durch Kommunikation zwischen atomisierten Individuen ersetzt und dem Nationalstaat die ökonomische Grundlage entzieht, dann – so Dahrendorf – sei der Erhalt von Recht und Ordnung »fast strukturnotwendig von Führungsstrukturen geprägt, die man als autoritär beschreiben kann«. Ein Jahrhundert des Autoritarismus, so seine düstere Vorausschau, sei jedenfalls »keineswegs die unwahrscheinlichste Prognose für das 21. Jahrhundert«.

Neuere Entwicklungen untermauern diese These. Der amerikanische Politologe Ronald Inglehart stellte fest, dass autoritäre Parteien in 32 westlichen Staaten, in denen sie überhaupt existierten, im Zeitraum von 1945 bis 1959 durchschnittlich sieben Prozent der Wählerstimmen auf sich vereinigt hatten. Dieser Anteil ist in den 1960er Jahren noch weiter gefallen, hat dann aber 2015 durchschnittlich zwölf Prozent erreicht. Seitdem ist er durch die Wahlen etwa in Österreich, Italien, Skandinavien, Deutschland und den USA noch weiter angestiegen. Inglehart ist daher der Meinung, die Welt stehe »vor dem ernstesten demokratischen Rückschlag seit dem Aufstieg des Faschismus in den 1930ern«.[57]

Ich selbst hoffte eine Zeitlang, nationalistische und populistische Bewegungen in Europa würden sich schnell als vorübergehende und letztlich als Randerscheinungen in einer grundsätzlich positiven Entwicklung herausstellen, auf keinen Fall als Vorboten einer Trendwende. Inzwischen aber haben populistische, fremdenfeindliche und zum Teil antieuropäische Parteien und Bewegungen einen festen Platz in der politischen Landschaft Europas erobert; in Ungarn, Polen und in Italien stellen sie die Regierung, in anderen Ländern sind sie an Regierungen beteiligt, fast überall sind sie in die Parlamente eingezogen, oft in zweistelliger Prozentzahl. Wobei sie ihre Erfolge zum Teil der Tatsache zu verdanken haben, dass die traditionellen Oppositionsparteien häufig verbraucht waren und sie einfach nur ernteten, was ihnen durch die Gunst der Umstände in den Schoß fiel.

Die Gesellschaft sortiert sich neu

Nun ist es nichts Neues in der Geschichte, dass Gesellschaften mit umstürzenden und existenziell verunsichernden Umständen konfrontiert sind. So hat die kopernikanische Wende den Menschen den Boden einst unter den Füßen weggezogen. Zu Beginn des Maschinenzeitalters fürchteten viele Menschen überflüssig zu werden, aufgebrachte Arbeiter haben an manchen Orten jene Webmaschinen zerstört, die ihre Arbeitskraft ersetzen sollten. Wir wissen im Rückblick zwar, dass die Industrialisierung unter dem

Strich dem Menschen weit mehr Wohlstand als Elend brachte. Aber das war kurzfristig für jene, die den Preis für den technischen Fortschritt zahlten, genauso wenig ein Trost wie für die Verlierer heute. Denn mag die wirtschaftliche Lage ihnen auch noch ein Einkommen sichern, so wird ein Teil in Zukunft vom Abstieg betroffen sein.

Aufgrund der zentralen Bedeutung von Wissen als Rohstoff und Ware im digitalen Zeitalter sortiert sich die Gesellschaft neu.[58] Die »nivellierte Mittelklassegesellschaft«, wie sie Helmut Schelsky einst für die Bundesrepublik konstatierte, ist sich ihrer Zukunft nicht mehr sicher. Die einen steigen auf und bilden die neue Mittelschicht. Das sind die multikulturalistischen, liberalen Weltbürger, *Anywheres*, wie der Publizist David Goodhart sie nennt, Mobile, die der Welt mit Offenheit begegnen und als qualifizierte und mobile Fachkräfte tendenziell überall einsetzbar sind.[59] 20 bis 25 Prozent der Bevölkerung gehören nach Goodhart dazu. Anderen Teilen aus der traditionellen Mittelschicht hingegen, Handwerkern, Facharbeitern, Angestellten und Dienstleistern, droht der Abstieg, weil ihre Qualifikationen nicht mehr gefragt oder zu gering sind und sukzessive durch weltweiten Handel und künstliche Intelligenz ersetzt werden. Sie bilden die eher Sesshaften, die *Somewheres,* sind stärker mit ihren Orten, ihren Familien und Milieus verbunden und haben ein geringeres Einkommen. Goodhart stellte fest, dass in Großbritannien immerhin 60 Prozent der Menschen innerhalb eines 30-Kilometer-Radius um den Ort herum leben, an dem sie bereits mit 14 Jahren gelebt haben, ein für manche unvermutet hoher Prozentsatz.[60]

Diese sich neu herausbildenden Schichten prägen die Klassengesellschaft von morgen. Sie unterscheiden sich nicht nur durch ihre materiellen, sondern stärker noch ihre kulturellen Charakteristika. Für die Weltbürger steht Freiheit an erster Stelle, für die Sesshaften die Sicherheit. Die Weltbürger brauchen die Mobilität, die Sesshaften die Verwurzelung. Und während die Weltbürger mit der Homo-Ehe ebenso wenig ein Problem haben wie mit einem Moscheebau, schätzen die Sesshaften eher die eigene Tradition.

Was es bedeutet, wenn die Welten dieser beiden Milieus auseinanderfallen, ist mir erst so recht mit der Wahl von Donald Trump zum amerikanischen Präsidenten bewusst geworden. Was seinen Sieg ermöglicht hat, waren die Enttäuschung, die Wut und teilweise sogar der Hass derer, die sich von der herrschenden liberal-demokratischen politischen Klasse nicht oder nicht ausreichend wahrgenommen und die sich nicht oder nicht ausreichend anerkannt fühlten. Die Globalisten hatten gar nicht gespürt, wie ihr Streben nach Selbstentfaltung, nach einem immer individueller zugeschnittenen Lebensentwurf, nach immer höher entwickelten Ansprüchen an Essen, Reisen, beim Designen von Wohnung und nach Aufsprengung traditioneller Geschlechterrollen bei vielen *Somewheres* auf Befremden, Unverständnis und Widerstand stieß. Die Sesshaften wollten und wollen nicht immer mehr Diversität, nicht immer weitere Differenzierungen von sexuellen Orientierungen und immer mehr migrantische Communitys; sie wollen an herkömmlichen Traditionen, an Familie und konservativen Werten weitgehend festhalten, sie wollen auch der Arbeit nicht in fremde Städte und Staaten folgen, sondern in der Heimat bleiben. Und sie wollen sich nicht permanent dafür rechtfertigen müssen, dass sie zur weißen privilegierten Mehrheit gehören, wo sie sich doch teilweise auf der Seite der Verlierer fühlen.

Nun sind Europa und Deutschland nicht Amerika. Doch Grundzüge der Entwicklung lassen sich auch in unseren Staaten nachvollziehen. Wie bei der Trump-Wahl erkennen wir auch in unseren Gesellschaften ein »Rachebedürfnis« von nicht gefragten oder nicht (ausreichend) berücksichtigten Wählerschichten. Weil die einen zu viel Toleranz einforderten, zumal in Bereichen, die für den Durchschnittsbürger keine prioritäre Bedeutung haben, sind autoritäre und intolerante Tendenzen bei anderen geradezu aktiviert worden. Jene offene, multikulturelle Welt, die den einen die Demokratie attraktiv erscheinen ließ und lässt, hat bei anderen Ängste und das Gefühl der Bedrohung ausgelöst. Wie sagte es der inzwischen entlassene nationalkonservative polnische Außenminister Witold Waszczykowski? Es gelte den Staat von einigen »Krankheiten« zu heilen. Er wehre sich gegen eine Welt, die sich nach marxistischem Vorbild automatisch in nur eine Richtung bewege – »zu einem neuen Mix von Kulturen und Rassen, einer Welt aus Radfahrern und Vegetariern, die nur noch auf erneuerbare Energien setzen und gegen jede Form der Religion kämpfen. Das hat mit traditionellen polnischen Werten nichts mehr zu tun.«[61]

So paradox es klingen mag: Populismus ist nicht zuletzt eine Antwort auf den Erfolg des Liberalismus. Die westlichen Staaten haben Gesellschaften hervorgebracht, in denen die Sensibilität für Diskriminierung und die Sorge um Minderheiten zugenommen hat. In ihrem Bestreben, auch noch kleinen und kleinsten Gruppen Anerkennung zukommen zu lassen und ihnen Teilhabe zu ermöglichen, haben die Progressiven aber oft den Kontakt zu Mehrheiten verloren. Und wir lernen: Wenn die Progressiven zu weit vorauseilen, erst recht, wenn sie die Interessen relevanter Mehrheiten gering schätzen, aktivieren sie die Reaktion. Demokratie aber lebt von der Verständigung und der Toleranz unter den Verschiedenen. Wenn die Demokratie ihr Spielfeld nicht den Verschiedenen öffnet, beginnen die Unbeachteten oder Ausgeschlossenen die Spieler von den Zuschauertribünen aus zu attackieren, oder sie verlassen sogar die Tribüne.

Erweiterungen und Grenzen: Wie viel Toleranz lässt sich lernen?

Da wäre als Allererstes die Frage, die die Bevölkerung in den USA ebenso trifft wie in Europa, ja die Menschen generell: Warum sind die einen bereit und fähig, sich der globalen, diversen Welt zu öffnen und in den Neuerungen Chancen zu sehen – und die anderen nicht? Warum streben die einen nach Veränderungen im politischen, wirtschaftlichen und kulturellen Bereich – und warum würden die anderen am liebsten im Status quo verharren? Warum nutzen die einen ihre Freiheit, um sich den hoch komplizierten Fragen der Zukunft zu stellen, während die anderen sich vor den Herausforderungen fürchten und das Gute vornehmlich in der Vergangenheit suchen?

Toleranzfähigkeit – je nach individueller Disposition

Früher habe ich Antworten auf diese Fragen vor allem bei Erich Fromm gefunden: Der moderne Mensch, so seine These in dem Buch »Furcht vor der Freiheit«,[62] hat mit der Befreiung von den Fesseln der vorindividualistischen Gesellschaft nur den ersten Schritt hin zur Freiheit getan. Die eigentliche und schwierigere Arbeit, verstanden als Verwirklichung seines individuellen Selbst, kommt erst in der Freiheit selbst. Doch während die einen imstande sind, den neuen Spielraum zu nutzen, empfinden die anderen Freiheit als Last. Infolge einer Erziehung, die an hierarchischer Ordnung und Gehorsam orientiert ist, so Fromm, fürchtet der sogenannte autoritäre Charakter die Freiheit und flieht vor ihr. Stattdessen bewundert der autoritäre Charakter die etablierten Autoritäten und ordnet sich ihnen unter, er passt sich an Konventionen an und tritt intolerant gegenüber jenen auf, die anders sind oder anders denken als er. Der autoritäre Charakter kennt nur die Loyalität gegenüber der eigenen Gruppe und deren Führer, Individualismus und kultureller Pluralismus sind ihm suspekt und werden von ihm nur schwerlich toleriert.

Spätere, groß angelegte und von Theodor W. Adorno veröffentlichte Studien zum autoritären Charakter an der University of California in Berkeley stützten sich wesentlich auf Fromms Analyse, auch wenn sie sich kaum explizit darauf bezogen. Weil die Untersuchungsmethoden und Schlussfolgerungen dieser Studien späteren Wissenschaftlern allerdings als zu ungenau galten, sie außerdem der Meinung waren, von den politischen Dispositionen der Befragten werde zu schnell auf deren Charakter geschlossen, suchten sie nach anderen Möglichkeiten, eine autoritäre Prägung, eine autoritätsaffine Disposition zu erkennen beziehungsweise zu bestimmen.

Inzwischen setzen sich vor allem US-amerikanische Wissenschaftler schon seit gut 20 Jahren wieder verstärkt mit der Frage auseinander, was Menschen definiert, die sie als »autoritär« qualifizieren. Mir ist bewusst, dass die Nutzung dieses Begriffs im Deutschen etwas problematisch ist, weil »autoritär« eindeutig negativ konnotiert ist, als reaktionär oder vorgestrig. Den amerikanischen Wissenschaftlern ging es aber nicht um Bewertung, auch nicht um die Abfrage politischer Optionen, sondern um das Herausarbeiten grundsätzlicher – ja: vielleicht am besten – politisch-psychologischer Prägungen.

Anfangs drohte das Projekt an der simplen Frage zu scheitern, wie »autoritäre« Einstellungen überhaupt zu messen seien.

Mitte der 1990er Jahre hatte der New Yorker Politikwissenschaftler Stanley Feldman dann eine einfache, auf den ersten Blick verblüffende Idee. Er fragte nach – Erziehungsstilen.[63] Es schien fast zu banal, um funktionieren zu können. »Sagen Sie mir bitte, was halten Sie für wichtiger für ein Kind: Unabhängigkeit oder Respekt gegenüber Älteren?«, fragte Feldman tatsächliche oder potenzielle Eltern.

Was halten Sie für wichtiger: Gehorsam oder Selbstvertrauen, rücksichtsvolles Verhalten oder wohlerzogenes Verhalten, Neugier oder gute Manieren? Die Befragten hatten einen Ermessensspielraum, da sie die Antworten innerhalb einer Skala eintragen konnten. Es ging zwar »nur« um die Erziehung. Doch heraus kam ein Profil, das weit darüber hinaus Aufschluss über die Einstellungen der Befragten gegenüber dem Leben gab.

Autoritäre schätzen danach den gesellschaftlichen Zusammenhalt mehr als die Unabhängigkeit und Autonomie von Individuen; sie halten Sicherheit, Gewissheiten und Konformität für wichtiger als die Suche nach Veränderung und Neuem; sie zeichnen sich aus durch Befolgung von Ordnung und Hierarchien und begegnen Offenheit mit Skepsis.

Ganz ähnlich lauteten die Ergebnisse der australischen Verhaltensökonomin Karen Stenner aus einer Studie über »Autoritäre Dynamik« von 2005, die durch Untersuchungen Ende 2016 in allen 28 europäischen Staaten und in den USA noch einmal bestätigt wurden. Karen Stenner brachte das Typische von Autoritären auf den, wie ich finde, ebenso kurzen wie prägnanten Nenner: Sie wollen *oneness* und *sameness,* also eine möglichst hohe gesellschaftliche Einheit und eine möglichst hohe gesellschaftliche Gleichheit. Wer in *oneness* und *sameness* seine Ideale sieht, wird jeder Differenz und Pluralität mit Skepsis, wenn nicht mit Angst und Ablehnung begegnen. So hält denn die Wissenschaftlerin diese Einstellung auch für den entscheidenden Faktor für die Intoleranz in der Welt. In Europa, so ihr Ergebnis, könne bei etwa einem Drittel der

Menschen von einer derartigen Disposition ausgegangen werden, in den USA bei 44 Prozent.[64]

Schon 2009, als noch keine Rede von Trump war, schrieben die Politikwissenschaftler Marc J. Hetherington und Jonathan Weiler, dass »die Prioritätensetzungen in vielen neuen Themen in der amerikanischen Agenda, wie beispielsweise die Rechte der Homosexuellen, der Krieg im Irak, die richtige Antwort auf den Terrorismus und die Immigration, wahrscheinlich durch den Autoritarismus strukturiert sind«.[65] Ein Meinungsforschungsinstitut fand heraus, dass 62 Prozent der weißen Wähler, die auf der Autoritätsskala ganz oben eingestuft worden waren, 1992 für George H. W. Bush stimmten. Und 2016 stimmte dieselbe als autoritär eingestufte Wählerschicht zu 86 Prozent für Donald Trump – ein Anstieg um 24 Prozent.[66] Die Republikaner stehen inzwischen weitgehend für die Partei der weißen, teils evangelikalen, konservativen und ländlichen Wähler, während sich die Demokraten stark auf die nichtweißen, nichtevangelikalen, liberalen und urbanen Wähler stützen. Da sich die Wähler der beiden Parteien mehrheitlich auf den entgegengesetzten Enden der Autoritätsskala befinden und das, was sie als richtig oder falsch empfinden, miteinander kollidiert, hat nicht nur eine starke Identifikation der Wähler mit der jeweiligen Partei stattgefunden, auch die Polarisierung, die das Land durchzieht, hat sich vertieft.

Was sich bei den Untersuchungen der Wissenschaftler allerdings noch ergab: Die autoritäre Disposition ist langlebig, aber nicht starr; sie kann sich verändern, aber nur langsam. Es gibt Phasen, meint beispielsweise Karen Stenner, in denen die autoritäre psychische Disposition kaum in Erscheinung tritt. Bemerkbar macht sie sich erst, wenn sie durch gesellschaftlichen Wandel oder durch äußere Gefahren »angetriggert« wird. Aufgrund dieser Veränderbarkeit und wechselnden Abrufbarkeit möchte die Verhaltensökonomin Personen mit einer autoritären Disposition denn auch nicht zu einem Charaktertyp erklären. Sie spricht stattdessen von einer Disposition oder einem Potenzial, das aktiviert werden kann. Im Fall einer Bedrohung beginnen Autoritäre allerdings wie auf Knopfdruck, ihre Wir-Gruppe zu verteidigen und die »Outsider«, gleich welcher Art, auszuschließen.

Die Angst vor dem Wandel berücksichtigen

Wer als Angst machender »Outsider« ausgemacht wird, hängt von den jeweiligen Verhältnissen ab. Manchmal kommt die Bedrohung von außen, im Fall von Konflikten etwa mit Russland, dem IS, dem Iran, China oder auch von Flüchtlingen, die ins Land drängen. Daneben existiert eine Gefahr im Innern, die vielleicht weniger sichtbar ist, sich langsamer ausbreitet, aber womöglich stärker ist: die Gefahr durch gesellschaftlichen Wandel. Das geschieht, wenn Autoritäten oder Institutionen an Respekt verlieren, wenn die kulturelle Gruppenidentität erodiert oder der gesellschaftliche Konsens zerbricht – wie in den letzten Jahrzehnten etwa in Bezug auf sexuelle Freizügigkeit, traditionelle Geschlechterrollen oder das Zusammenleben mit ethnischen Minderheiten. Für das Bedrohungsgefühl ist es dabei gleichgültig, ob die Probleme *tatsächlich* existieren oder nur als bedrohlich *empfunden* werden.

Die Untersuchungen waren für mich außerordentlich erhellend. Folge ich den Erkenntnissen der Wissenschaftler, werde ich nämlich eine Auffassung korrigieren müssen, die ich jahrelang öffentlich vertreten habe. Ich habe immer angenommen, dass, gebe es nur hinreichende und angemessen verständliche Informationen von Seiten der Politik, sich quasi im Selbstlauf Verständnis bei Menschen mit einer geschlossenen, rückwärtsgewandten Weltsicht einstellen würde. Dass, gebe es nur entsprechende Curricula in der Schule und genügend engagierte Lehrer, sich aufklärerische Positionen weitestgehend durchsetzen ließen. Nun lernte ich: Kurzfristig und leicht sind Einstellungen aufgrund relativer Stabilität individueller, prägender Dispositionen nicht zu ändern.

Ich werde zwar in Zukunft nicht darauf verzichten, für eine verständliche Sprache bei den Politikern zu werben und auf Einsicht und Verständnis bei den Angesprochenen zu setzen. (Auch die Ansichten von Personen mit autoritärer Disposition sind ja nicht in Stein gemeißelt.) Aber ich werde stärker als früher akzeptieren müssen, dass die Suche nach neuen, zukunftsorientierten Lösungen in einer liberalen Demokratie immer auch den relevanten Bevölkerungsanteil zu berücksichtigen hat, der durch autoritäre Dispositionen geprägt ist. Von Menschen eben, die sich mehr Ordnung, mehr Festhalten am Alten, mehr Führung wünschen, und das teilweise in einem Maße, das ein liberaler Demokrat schon als bedrohlich für die Freiheit einschätzen dürfte. Und ich werde mir stärker als bisher bewusst machen müssen, dass – so Karen Stenner – »die autoritäre Prädiposition eine eigene Art von menschlicher Existenz ist und nicht ein intrinsisches Übel. Sie ist eine *natürliche Variante* des menschlichen ›politischen Charakters‹.«

Am Beispiel von Deutschland trifft dies Bürger ganz unterschiedlicher Wähleroptionen. Ein Teil dürfte in den letzten Jahren von den traditionellen CDU- und SPD-Milieus abgesprungen sein und den Newcomer AfD gewählt haben. Andere haben aus denselben strukturell konservativen Gründen DIE LINKE gewählt. In den neuen Bundesländern waren das jeweils über 20 Prozent. Es wäre politisch kontraproduktiv und schädlich, diese Menschen »rechts« oder »links« liegen zu lassen. Eine Demokratie könne es sich nicht leisten, diese Bürger zu erniedrigen und zurückzuweisen und ihre Prioritäten zu ignorieren, ist auch Karen Stenner überzeugt. »Statt dass sie unterdrückt und schließlich den Extremisten in die Arme getrieben werden«, sei es besser, dass ihre Positionen offen formuliert, ernsthaft bedacht und bei den politischen Entscheidungen berücksichtigt würden.[67]

Womit wir wieder beim Thema Toleranz wären. Wir brauchen sie, um diesen Typ eines »politischen Charakters« beständig in die Debatte einzubeziehen. Wir brauchen sie, um eine Polarisierung der Gesellschaft zu verhindern. Und wir brauchen sie, damit die ganze Bandbreite demokratischer Auffassungen in die Gestaltung des Gemeinwesens einbezogen wird.

Kollektiver Nachholbedarf in Sachen Toleranz

Warum mir in diesem Zusammenhang die ehemalige DDR einfällt?

Lassen Sie mich mit einer Geschichte beginnen. Etliche Jahre nach der Wiedervereinigung traf ich eine junge Frau aus meiner alten Rostocker Gemeinde wieder. Es war kurz nach einer Bundestagswahl. In der DDR ausgehalten hat sie es nur, weil sie einen Beruf in der Kirche ergriffen hatte. Inzwischen hatte sie ein Zweitstudium absolviert, hatte einen neuen Beruf, es ging ihr gut. Irgendwann im Laufe eines intensiven Austauschs fragte ich sie: »Und was hast du gewählt?« Ihre Antwort: »PDS«. Ich traute meinen Ohren nicht, sie hatte die Nachfolgepartei ihrer Unterdrücker gewählt. »Du??? Was waren denn deine politischen Gründe?« Antwort: »Politische Gründe hatte ich nicht. Ich fühlte mich so heimatlos.«

Im ersten Moment war ich unendlich verblüfft. Dann fiel mir das Lebensgefühl zahlloser Deutscher unmittelbar nach dem Zweiten Weltkrieg ein. Wie oft hatte ich gehört: Es ist auch nicht alles schlecht gewesen im Dritten Reich. Dies wies mir eine Spur, deren Bedeutung ich mir nicht hatte eingestehen wollen. Nicht Ideologie, nicht politisches Programm hatten bei meiner Bekannten und vielen anderen bei der Wahlentscheidung den Ausschlag gegeben. Es waren vielmehr etwas Mentales, die kulturelle Fremdheit im wiedervereinigten Deutschland, die Zumutungen einer

Konkurrenzgesellschaft, die Unvertrautheit mit den neuen kulturellen Codes. Zwar hatte sich auch mein ehemaliges Gemeindemitglied Freiheit und Demokratie ersehnt, aber als aus den Wünschen Lebenswirklichkeit geworden war, umwehte sie die Fremdheit. Es war ganz merkwürdig: Politisch war sie am Ziel angekommen, doch plötzlich spürte sie eine neue Sehnsucht: nach dem Vertrauten.

1990 noch hatte es der Mehrheit der Bevölkerung in der DDR gar nicht schnell genug gehen können: »Kommt die D-Mark, bleiben wir, kommt sie nicht, geh'n wir zu ihr.« Man wollte so frei sein wie im Westen, so reisen können wie im Westen, so wohlhabend sein wie im Westen. Große Bevölkerungsmehrheiten wollten keinen eigenständig zu entwickelnden »Dritten Weg« einschlagen, sondern ein funktionierendes westliches Politik- und Wirtschaftssystem, die rheinische Demokratie sollte das Zukunftsmodell auch des Ostens sein. Doch der Euphorie nach Befreiung und Einheit folgten schon bald Ernüchterung und gar Enttäuschung – jedenfalls bei einem relevanten Teil der Bevölkerung. Die neuen Bundesbürger mussten ihr Weltbild und ihr Verhalten den neuen westlichen Gegebenheiten, Gesetzen und Normen anpassen. Die Zahl der Arbeitslosen schnellte in die Höhe. Arbeitslosigkeit als Massenphänomen hatte die DDR nicht gekannt – als sie dann über die Menschen kam, sahen sich viele in ihrer Existenz und noch mehr in ihrem Selbstwert infrage gestellt. Und wenn Wohlstand und soziale Sicherheit förderlich sind zur Entwicklung demokratischer Einstellungen und von Toleranz, Bedrohungen sie aber schrumpfen lassen, so waren die neuen Bundesländer kein gutes Lernfeld. Zudem verstärkten die zahlreichen hilfsbereiten, manchmal allerdings als arrogant empfundenen Beamten und Berater aus dem Westen noch ein neues, ungutes Gefühl: Ich bin fremd im eigenen Land.

Eine neue Spaltung in der Gesellschaft wurde sichtbar: Da waren die Gewinner, die im richtigen Alter, mit gefragten Berufen und einer offenen Einstellung in neue Karrieren starteten. Und da waren die Verlierer, die entweder als Sachwalter der Diktatur ungeeignet waren, in der Demokratie im öffentlichen Dienst, im Militär, Polizei- und Justizapparat weiter tätig zu sein; und da waren Arbeiter und Angestellte, deren Betriebe zu unproduktiv waren, um weitergeführt zu werden.

Dass es aber auch Menschen gab, die Sehnsucht nach dem Vertrauten (obwohl Schlechten) entwickelten, obwohl sie von der Wiedervereinigung profitiert hatten, wurde mir so recht erst nach dem Gespräch mit der jungen Frau aus meiner ehemaligen Rostocker Gemeinde klar. Und mein Unverständnis, das ich gegenüber nostalgischen Ossis nicht selten empfunden hatte, wich zum Teil Erschrecken und Traurigkeit. Wir als die politisch Verantwortlichen damals hatten immer wieder betont, dass Ost und West zusammengehören – was durchaus den Lebensgefühlen der Mehrheit entsprach. Dabei war uns allerdings nicht klar gewesen, wie mächtig die Prägungen der Vergangenheit waren. Wir wollten eine gemeinsame Zukunft bauen, doch wir hatten unterschätzt, wie Fremdheit, Unvertrautheit und Unbehagen bei einem Teil der neuen Bundesbürger Nostalgie hervorriefen. Aus Mangel an Zukunftsvisionen suchten sie, ähnlich wie viele Menschen heute wieder, nach einer Lösung in der Vergangenheit. Ich lernte damals: Mentalität verwandelt sich offensichtlich erheblich langsamer, als Wissen und Intellekt sich ändern und erweitern können.

Es war und ist nicht einfach, darüber zu sprechen. Zu oft fühlen sich neue Bundesbürger disqualifiziert, so als würde man ihren Charakter kritisieren. Aber es geht nicht darum, den Ostdeutschen einen schlechteren Charakter zu unterstellen, denn Westdeutsche hätten sich nach so langen Diktaturerfahrungen ganz ähnlich verhalten. Wir dürfen eben nicht vergessen, dass Westdeutsche im letzten Jahrhundert zwölf Jahre in einer Diktatur gelebt haben, Ostdeutsche hingegen 56 Jahre. Noch nach dem Nationalsozialismus konnten die Bürger in der DDR

- niemals in freien und geheimen Wahlen ihre Regierung wählen
- niemals im öffentlichen Raum für ihr Ziele demonstrieren
- niemals in Wort und Schrift abweichende Meinungen veröffentlichen
- niemals in einer freien Gewerkschaft einen Arbeitskampf organisieren
- niemals einen Verein, eine Partei oder ein mittelständisches Unternehmen gründen
- niemals in den Schulen Klassensprecherinnen und Schülersprecher wählen
- niemals lernen, in einer Diskussion offen und ehrlich eigene Argumente vorzubringen und in einen Wettstreit der Ideen zu treten.

Das Leben mit Pluralität und Differenz und damit auch mit Toleranz gegenüber dem Andersdenkenden haben wir in der DDR nicht gelernt, es passte nicht zum System. Eine strikte Eindimensionalität lässt Vielfalt und Toleranz gar nicht erst aufkommen. Um zu überleben und Erfolg zu haben, passen Mehrheiten sich dann an, sie folgen einer Ratio der Absicherung, die einen mehr, die anderen weniger. Aber alle miteinander haben nicht die Möglichkeit, Haltungen eines freien Bürgers zu lernen und zu leben und Eigenverantwortung einzuüben. Trotz ganz verschiedener individueller Prägungen vermögen sie politisch nicht zu sein, wer sie sein könnten. Deshalb darf eines nicht vergessen werden: Die Differenz, die Distanz, die Ostdeutsche zu überwinden haben, um die Herausforderungen der Zukunft zu bewältigen, ist erheblich größer als bei den Westdeutschen.

All dies bleibt richtig, doch mit dem neu erworbenen Wissen über die autoritäre Disposition von Menschen kann ich im Verhalten meiner Bekannten und vieler anderer ein weiteres prägendes Element erkennen. Wenn schon für diese junge Frau, die nach der Wiedervereinigung noch einmal studierte und einen neuen Beruf ergriff, die Bereitschaft zur Offenheit gegenüber den veränderten Umständen nach relativ kurzer Zeit nahezu erschöpft war, wie mochte es dann erst den anderen, den weniger Flexiblen gegangen sein?

Vielleicht haben wir die Bedeutung der Abwanderung unterschätzt. Viele derer, die die Fähigkeit und den Mut zum Aufbruch hatten und das Risiko nicht fürchteten, haben sich aufgemacht in den Westen, wenn sie zuhause keine Entwicklungsmöglichkeiten sahen. Insgesamt verloren die neuen Bundesländer im Zuge der Wiedervereinigung nach Angaben des Berlin-Instituts für Bevölkerung und Entwicklung 1,8 (von gut 16) Millionen – mehr als jeden zehnten Bürger – offene, veränderungs- und risikobereite Menschen, die die neuen Umstände als Chance und nicht als Bedrohung sahen. Entsprechende Zahlen lassen sich aus Rumänien, Bulgarien, Polen, Lettland, Kroatien oder Ungarn anführen. In all diesen Ländern gingen die Bevölkerungszahlen drastisch zurück. Abwanderung hat dazu geführt, dass überdurchschnittlich viele Alte zurückblieben und jene, für die Sicherheit, Konformität, Festhalten an alten Gewohnheiten und sozialen Einordnungen vorrangige Bedeutung haben – eben Menschen mit geringerer oder stärkerer autoritärer Disposition. In dieser Hinsicht ähneln die Erfahrungen und Gefühle vieler Ostdeutscher denen mittelosteuropäischer Bürger.

Bis heute ist das Wahlverhalten in den neuen Bundesländern deutlich anders als in Westdeutschland. Auch wenn sicher kein monokausaler Zusammenhang zwischen Abwanderung und Wahlverhalten besteht, dürfte in der spezifischen Wählerstruktur doch ein wesentlicher Grund für die Differenz liegen. Neben den traditionellen Parteien behaupteten sich im Osten Deutschlands über die ganzen Jahre starke strukturkonservative Parteien am linken und rechten Rand. Zunächst profitierten die Linken: Der Stimmenanteil der PDS bzw. der späteren Partei DIE LINKE kletterte in Ostdeutschland auf weit über 20 Prozent. Seit 2013, ihrem Gründungsjahr, schickte sich dann die AfD an, als angeblich beste Fürsprecherin der Unzufriedenen aufzutreten. Bei den Bundestagswahlen im Herbst 2017 fuhr DIE LINKE nur noch 17,4 Prozent ein, während die AfD in den ostdeutschen Ländern 22,5 Prozent erzielte – in Westdeutschland hingegen nur 11,1 Prozent der Stimmen. In Gegenden, in denen die Bevölkerung stark schrumpfte, war der AfD-Anteil besonders hoch.

Es ist insofern auch kein Zufall, dass sich in Ungarn und Polen starke rechtsnationale Parteien durchsetzen konnten. Deren Forderungen nach mehr nationaler Souveränität scheinen vielen Bürgern tröstlich und beruhigend, nachdem sie sich durch die unerwartet hohen Anforderungen supranationaler Institutionen und unvertrauter kultureller Codes überfordert fühlten.

Der Druck, permanent seine politischen und psychischen Grenzen überschreiten zu sollen, ansonsten aus der Achtung der Westeuropäer herauszufallen oder von Brüssel mit Strafmaßnahmen bedroht zu werden, hat in Osteuropa teilweise zu einer Art Trotzreaktion geführt. Dass dabei allerdings rechtsstaatliche Standards und europäische Normen beschädigt werden, kann von Europa nicht hingenommen werden, bei allem Verständnis für den Wunsch, das Tempo und Ausmaß des Wandels selbst zu bestimmen.

Jeder Versuch, Europa zusammenzuhalten, muss aber die historisch bedingten Andersartigkeiten als Ausgangspunkt akzeptieren. Es sind jedenfalls nicht einfach Bosheit, reaktionäre Gesinnung oder Dummheit, wenn die durch Diktatur geprägten Gesellschaften Ostmitteleuropas in einer anderen Entwicklungsphase der politischen Kultur leben und anderen Werten als im Westen Vorrang einräumen. Zudem fehlen zwei Generationen Debattenkultur, Freiheit, Einübung in Vielfalt und Toleranz, in eine Pluralität wie in Westeuropa. Noch lebt in den Familien die Erblast der vergangenen Jahrzehnte weiter, doch den Jüngeren fällt es bereits erkennbar leichter, der Welt offen zu begegnen und ihre Chancen wahrzunehmen. Angesichts der erstaunlichen und bewundernswerten

Veränderungsfähigkeit, die sich in Deutschlands und Europas Osten in den letzten drei Jahrzehnten vollzogen hat, besteht die begründete Hoffnung, dass sich die Gesellschaften weiter wandeln und sich die Distanz zwischen Ost und West (in Deutschland und in Europa) weiter verringert.

Warum ich in diesem Buch noch einmal auf das Ost-West-Problem zu sprechen komme? Ich habe von meiner Ungeduld gegenüber einem bestimmten ostdeutschen Gestus gesprochen. (Und natürlich gibt es diese Ungeduld auch bei vielen anderen Ostdeutschen und besonders bei Menschen im Westen.) Mit meiner Rückschau will ich aber noch einmal in Erinnerung rufen, wie diese anderen Denk- und Verhaltensweisen entstanden sind und wie lange diese Prägungen andauern. Denn: Wer versteht, was er ablehnt, kann seine Reaktionen differenzieren. Er kann besser, und dann auch rational, zurückweisen, was reaktionär ist, und eher gelassen bewerten, was nur auf mangelnde Erfahrung oder eine andere Sichtweise zurückzuführen ist.

Was für Toleranz generell gilt, gilt auch hier: Ich finde deine Andersartigkeit (nach wie vor) verstörend, will auch weiter mit dir darüber streiten. Aber am wichtigsten ist mir, dass unsere Unterschiede uns nicht in zwei unterschiedliche Welten treiben. Denn wir gehören doch zusammen, jedenfalls so lange die Demokratie unsere gemeinsame Heimat bleibt.

Wie viel Toleranz gegenüber Intoleranten? Über den Umgang mit extremistischen Auffassungen

Extremismus und Intoleranz gehören zu den großen Herausforderungen unserer Zeit. Anders als in der Geschichte Deutschlands im 20. Jahrhunderts sind wir aber nicht mehr nur mit Links- und Rechtsextremismus konfrontiert, sondern auch mit dem islamischen Fundamentalismus. Der Verfassungsschutz registriert in allen drei Fällen gleichbleibende, wenn nicht steigende Gefahren, vor allem durch wachsende Anhängerschaft. Und in allen drei Bereichen zeigen sich fließende Übergänge von offen gewaltbereiten und fundamentalistischen Positionen zu legalistischen beziehungsweise etwas moderateren Auffassungen in der Mitte der Gesellschaft. Meines Erachtens ist noch lange nicht ausdiskutiert, wie sich Demokraten diesen Milieus gegenüber positionieren: Wo ist Intoleranz unerlässlich, und wo ist sie schädlich? Wo ist Toleranz angezeigt, wo ist sie aber auch bedenklich?

Die neuen und die alten Rechten

Bei den Wahlen zum Bundestag 2017 zog die vier Jahre zuvor gegründete Alternative für Deutschland (AfD) mit 92 Abgeordneten ins Parlament ein. Der Einschnitt war erheblich. Nur drei Mal

(1949, 1953 und 1957) war der radikalen Rechten nach dem Zweiten Weltkrieg der Sprung ins Bundesparlament gelungen. Nach ihrer De-facto-Auflösung 1960 sollten dann aber 56 Jahre vergehen, bevor eine Partei mit explizit radikalem rechtem Profil wieder in den Bundestag einziehen würde, denn die NPD scheiterte jedes Mal an der Fünf-Prozent-Hürde.

Die Geschichte der radikalen Rechten in Deutschland unterscheidet sich deutlich von der unserer Nachbarn. In Frankreich beispielsweise kann der rechtsextreme Front National auf eine fast 50-jährige Geschichte zurückblicken. In den letzten 25 Jahren erzielte er regelmäßig zweistellige Wahlergebnisse und trat zwei Mal sogar im zweiten Wahlgang zu den Präsidentschaftswahlen an. In Österreich agiert die rechtspopulistische Freiheitliche Partei Österreichs (FPÖ) sogar schon über 60 Jahre auf der politischen Bühne. Seit den 1980er Jahren trat sie in verschiedene Regierungskoalitionen mit der Österreichischen Volkspartei (ÖVP) und den Sozialdemokraten (SPÖ) ein. Ihr Kandidat bei den Bundespräsidentenwahlen 2016 unterlag seinem Konkurrenten von den Grünen in der Stichwahl nur knapp.

Westdeutschlands Besonderheit mit seiner Parteienlandschaft erklärt sich wesentlich aus der nationalsozialistischen Vergangenheit. Nach jahrelangen Auseinandersetzungen mit dem NS-Regime, wie sie nach einer Phase des Verschweigens lautstark und breit nach 1968 stattfanden, ist rechtes Denken stärker diskreditiert als anderswo. Allem, was »rechts« ist, haftet seitdem das Odium des Anrüchigen und Extremen an. Das hat einerseits den Vorteil, dass eine größere Hemmschwelle gegenüber rechtsradikalem Gedankengut existiert. Die NPD beispielsweise konnte aufgrund ihrer erklärten Nähe zum Nationalsozialismus wesentlich weniger von der Unzufriedenheit profitieren als heute die AfD. Das hat andererseits aber auch den Nachteil, dass innerhalb von »rechts« nicht mehr differenziert wird. Zumindest gefühlsmäßig existiert im linken und linksliberalen Milieu ein einfaches Muster: Rechts ist für viele gleichbedeutend mit rechtsradikal oder sogar mit Nazi. Die Übergänge sind fließend. »Kapitalismus führt zum Faschismus, Kapitalismus muss weg«, lautete eine verbreitete Parole der Studentenbewegung in der alten Bundesrepublik. Danach waren Demokratie und Faschismus bloß zwei Varianten des Kapitalismus. Von vielen Linken und Linksliberalen aus Westdeutschland hörte ich zudem oft das Brecht-Zitat: »Der Schoß ist fruchtbar noch, aus dem das kroch.« Faschismus stand als angeblich reale Gefahr immer im Raum.

Nun plädiere ich zwar dafür, auf die Geschichte zu schauen, um Phänomene der Gegenwart bewusster einordnen zu können. Vorschnelle Parallelen können den Blick allerdings auch versperren. Wir dürfen keine Schlafwandler sein, aber auch nicht hysterisch reagieren. Wer zu früh die Katastrophe an die Wand malt, verfügt über keine Glaubwürdigkeit mehr, wenn er warnt, wenn sie wirklich bevorsteht. Andererseits wäre es fatal, würde man den Zeitpunkt verpassen, an dem unsere Verteidigungsbereitschaft tatsächlich gefragt ist.

Der heutige Blick auf Deutschland zeigt, dass inzwischen auch hier eine Bewegung nach rechts stattgefunden hat. Die Alternative für Deutschland (AfD) ist im Bundestag und in allen Landesparlamenten vertreten. Noch ist über ihr Profil nicht endgültig entschieden; neben Anklängen an die Deutschnationalen der Weimarer Republik und an nationalkonservative, populistische und EU-kritische Bewegungen in den europäischen Nachbarländern finden sich bei ihren Vertretern auch eindeutig völkisch-nationale Positionen. Der Flügel und die Jugendorganisation Junge Alternative werden daher wegen Extremismusverdacht vom Verfassungsschutz beobachtet. Diese radikaleren Teile der AfD stehen in Kontakt mit Neonazis, Kameradschaften, Pegida und Hooligans. Bei der Demonstration in Chemnitz anlässlich des tödlichen Messerangriffs auf einen Chemnitzer Bürger durch Asylbewerber im August 2018 marschierten sie Seite an Seite – ein Bündnis zwischen Rechtspopulisten und Rechtsextremisten unterschiedlicher Couleur.[68]

»Rechts« scheint trotz aller gesellschaftlichen Präventionsmaß-
nahmen an Zustimmung zu gewinnen, auch jenseits der AfD.
Neonazis haben nach einer Phase der Ruhe wieder begonnen, Fan-
clubs zu unterwandern; Dutzende von Polizeibeamte stehen offenkundig den sogenannten Reichsbürgern nahe; in Sachsen räumte
der stellvertretende sächsische Ministerpräsident ein, dass die Polizei seines Landes mehr Sympathie für Pegida und die AfD haben
könnte als der Bevölkerungsdurchschnitt; in der Bundeswehr werden 450 Soldaten wegen Verdachts des Rechtsextremismus beobachtet.[69] Der Verfassungsschutz schätzte das Potenzial der gesamten rechtsextremistischen Szene Ende 2017 auf 24 000 Personen,
die Hälfte davon gilt als gewaltbereit.

Das alles halte ich für besorgniserregend und für abstoßend,
aber eine Gefahr, dass rechtsextremistische und rechtspopulistische
Kräfte Mehrheiten gewinnen könnten, besteht in diesem Deutschland mit seiner stabilen Demokratie und seiner wachen Zivilgesellschaft nicht. Und trotzdem blicke ich auf die Entwicklung mit Sorge.

Lange war die alte und neue rechtsextremistische Szene nur
Fachleuten bekannt. Sie war nicht nur unbedeutend, sondern
auch unübersichtlich, teilweise unorganisiert, sie setzte sich immer
neu zusammen und richtete sich ideologisch unterschiedlich aus.
Das erschwerte und erschwert den Überblick. Die NPD beispielsweise orientiert sich wie die Kleinpartei Der dritte Weg oder einige Kameradschaften am Nationalsozialismus. Die Identitäre Bewegung und andere Gruppen der Neuen Rechten beziehen sich
auf den französischen Rechtsintellektuellen Alain de Benoist, der
das Weltbild des Ethnopluralismus prägte. Die Reichsbürger halten an den Grenzen des Deutschen Reiches von 1937 fest und erklären die Bundesrepublik de jure für nicht existent. Die rechtster-
roristische Untergrundgruppe Nationalsozialistischer Untergrund
(NSU), die, als sie 2011 auffließ, neun Migranten und eine Polizis-
tin ermordet hatte, hatte sich aus ideologischen Vorgaben rassisti-
scher Bewegungen aus England und den USA bedient.

Allen Gruppen gemeinsam ist ein Nationalismus, der die eigene Nation anderen Nationen gegenüber als überlegen ansieht; ein Revisionismus, der die Verbrechen des Nationalsozialismus relativiert, und ein Rassismus, der Menschen aufgrund ihrer Hautfarbe, Religion oder sexuellen Orientierung diskriminiert, wie es sich in Homophobie, Antisemitismus und Islamfeindlichkeit äußert. Der Angriff auf den Islam erfolgt dabei entweder nach alter völkisch-nationalistischer Art oder aber entsprechend einem »Ethnopluralismus«, der zwar das Recht einer jeden Ethnie auf Verschiedenheit zu respektieren vorgibt – aber nur, wenn diese Ethnie im eigenen Territorium verbleibt. In der Fremde haben Fremde also nichts zu suchen. Die Segregation des »Fremden« bleibt ein Kontinuum rechtspopulistischer Politik.

Und noch etwas schält sich immer deutlicher heraus: Obwohl Rechtsextremisten die Nation an die erste Stelle setzen, gibt es für die »weißen« Nationalisten ein global gültiges Narrativ. Ihre Hauptfeinde sind die Muslime. Die Apokalypse einer »Umvolkung« weißer Gesellschaften vor Augen, verstehen sie sich als Avantgarde einer zunehmend bedrohten weißen, europäischen, christlichen Spezies, als Kämpfer, die sich, wie die Habsburger im Bündnis mit dem polnischen Heer 1683 vor Wien, expandierenden Osmanen entgegenstellen. Eine derartige Vorstellung vom Kampf der Kulturen findet sich von den Rechtspopulisten bis hin zu gewalttätigen rechtsextremistischen Attentätern wie Breivik in Norwegen oder Tarrant in Neuseeland.

Keine Toleranz gegenüber Rechtsradikalen

Regierung und öffentliche Meinung sind sich mit großer Mehrheit einig, dass es Toleranz gegenüber extremistischen, verfassungsfeindlichen Positionen nicht geben darf. Dafür haben im Falle von Straftaten die Gerichte zu sorgen, und darüber hinaus wird generell Prävention betrieben. Der Staat gibt Millionen für die Unterstützung entsprechender Initiativen aus, in den Schulen zählen die Auseinandersetzung mit Nationalsozialismus und Rassismus zum Lehrplan, Parteien und zivilgesellschaftliche Gruppen stehen vor Ort gegen Rechtsradikale auf, wenn konkrete Gefahr droht. Wir kennen die Losungen: »Nie wieder«, »Gesicht zeigen«, die Aufforderungen zur Zivilcourage. Ich selber bin langjähriger Bundesvorsitzender von Gegen Vergessen – Für Demokratie gewesen und jetzt ein Ehrenvorsitzender des Vereins.

In Hinblick auf Linksextremisten und islamische Fundamentalisten ist die Sensibilität längst nicht so stark entwickelt. Der Verband der Historikerinnen und Historiker verabschiedete im September 2018 eine Resolution, die die Stellungnahme zu Linksextremismus und islamischem Fundamentalismus sogar aussparte, um den als besonders dringlich erachteten Kampf gegen rechts nicht zu verwässern. Man sollte also meinen, es gibt einen Konsens: Keine Toleranz gegenüber rechts. Doch was bedeutet das im Einzelnen?

Wenn auf der Straße grölende Demonstranten den Hitler-Gruß zeigen oder Neonazis Gräber auf jüdischen Friedhöfen schänden, ist die Antwort tatsächlich klar: Diese Menschen gehören vor den Kadi. Wenn Redner einen Saal mit rassistischen Sprüchen aufmischen oder Jugendliche einen Brandsatz in ein Flüchtlingsheim werfen, müssen Staatsanwälte Anklage erheben. Auch Kommunen und Landkreise sind nicht hilflos. Sie müssen nicht jede martialische Demonstration von Rechtsextremisten dulden. Was aus rechtlichen Gründen (noch) nicht verboten werden kann, kann eventuell durch Auflagen so verändert werden, dass dem Extremismus Grenzen gesetzt sind. Eine Toleranz gegenüber einem Verhalten, das erkennbar Gesetze verletzt oder grundlegend gegen den Geist der Verfassung verstößt, darf es nicht geben. Wenn das Bundesverfassungsgericht 2017 dennoch davon abgesehen hat, die NPD zu verbieten, obwohl sie eindeutig verfassungsfeindliche Positionen vertritt, hat sie sich von der Einschätzung leiten lassen, dass ein Verbot unverhältnismäßig wäre.

Die Partei verfügt aufgrund ihrer geringen Zahl an Mitgliedern und Wählern nicht über das Potenzial, die Demokratie zu gefährden.

Wir sehen also, dass Entscheidungen über das Vorgehen gegen Rechtsextremismus nicht allein von der Gesetzeslage abhängen, sondern auch von den jeweils herrschenden politischen Verhältnissen. Ähnlich wie das Bundesverfassungsgericht die NPD trotz einer verfassungsfeindlichen Ideologie nicht verbot, erlebte ich auch bei einem Besuch in den USA, dass inhumane, rassistische Publikationen im öffentlichen Raum geduldet wurden. Und das direkt vor dem gerade eröffneten Holocaust Memorial. Ein junger Mann hatte mir ein Flugblatt mit eindeutig antijüdischen und antiliberalen Auffassungen in die Hand gedrückt. Nazi-Ideologie vor dem Erinnerungsort für das größte Menschheitsverbrechen – das erschien mir unfassbar. Ich fragte meine Gastgeber, ob sie nicht die Polizei rufen wollten. Und ihre Antwort: Nein, derartige Meinungsäußerungen seien in den USA durch die Verfassungs- und Gesetzeslage erlaubt. Man müsse also wohl oder übel tolerieren, was einem die Zornesröte ins Gesicht treiben könnte.

Mich hat diese Antwort nicht zufriedengestellt. Meine Wut und meine Abneigung gegenüber den Vertretern von Bosheit und Lüge waren zu groß, als dass ich Verständnis hätte zeigen können. Ich kam aus einem Land, das mit der Ermordung von Millionen Juden ein Menschheitsverbrechen begangen hatte und deshalb die Leugnung dieser Tatsache unter Strafe gestellt hat. Ich weiß natürlich, es gibt auch mit Wissenschaft und Publizistik andere Formen, um die Wahrheit zu verteidigen und die Lügner zu delegitimieren. Jedenfalls hat sich der Deutsche Bundestag im Fall der Armenier dazu entschieden, das Massaker 1915/17 im Osmanischen Reich zwar als Völkermord zu verurteilen, im Unterschied zu Frankreich aber hat er darauf verzichtet, die Leugnung oder Banalisierung des Genozids unter Strafe zu stellen.

Auf Strafe zu verzichten heißt ja keineswegs, auf öffentliche Missbilligung und Delegitimierung zu verzichten. Im Gegenteil.

Ein Verbot, eine Strafe kann das Problem unter Umständen gänzlich von der Diskussionsebene entfernen; das Falsche aber, das im Raum steht, weckt meinen Widerspruch. »Ich finde grundfalsch, was du vertrittst. Ich kann nicht anders, als dir vehement zu widersprechen!« So hat die Kontroverse im Fall des Völkermords an den Armeniern dazu geführt, dass Historiker differenzierte Argumente für seine Charakterisierung als Genozid vorgetragen haben. Der türkische Staatschef Recep Tayyib Erdoğan hingegen wollte nicht diskutieren, sondern dekretieren. Mit Regierungen oder Parlamenten, die den Massenmord als Genozid anerkannten, brach er eine diplomatische Krise vom Zaun. Einmal mehr zeigte sich: Wer Pluralität verhindert, braucht sich um Toleranz nicht zu bemühen. Er behindert allerdings die Wahrheitsfindung.

Die Auseinandersetzung mit Rechtsextremisten ist allerdings bei weitem nicht nur eine Sache von Institutionen und Instanzen. Sie ist eine Sache von Frau und Herrn Jedermann im ganz normalen Alltag. Denn überall wo verschiedene Menschen zusammenkommen – am Arbeitsplatz, in Sportvereinen, in Chören und Kapellen, in der Freiwilligen Feuerwehr, in der Nachbarschaft und beim Einkaufen – können uns Ressentiment, Fremdenfeindlichkeit oder auch Homophobie begegnen.

Deswegen kommt Einzelnen und Netzwerken wie »Schule gegen Rassismus« eine große Bedeutung zu. Den eigentlichen Wert dieser Initiativen machen nicht guter Wille und gute Slogans aus, sondern die Selbstermächtigung jener, die die Demokratie schätzen und sie zu verteidigen bereit sind. Die Selbstermächtigung von Menschen, die die Toleranz hochhalten, wenn es die Andersartigkeit des anderen zu schützen gilt, und die zur Intoleranz stehen, wenn ihnen verfestigte Menschenfeindlichkeit, Hass und Aggressivität begegnen.

Ich weiß: Es gibt Situationen, vielleicht auf dem Bahnsteig, in der U-Bahn, im Fußballstadion oder an einem städtischen Brennpunkt, da sehen sich Einzelne größeren aggressiven Gruppen gegenüber, hilflos und vielleicht auch voller Angst. Das heißt aber nicht, dass die Angst zur ständigen Lebensbegleiterin werden muss. Am nächsten Tag öffnet sich vielleicht ein Fenster, und man kann mit einem Jugendlichen sprechen, der gestern noch in einer Gruppe von Hooligans in einem kollektiven Gewaltrausch war und nun ein ganz normaler Azubi wird, der mit Argumenten zu erreichen ist.

Es gibt neben solchen Erfahrungen noch anderes, was mich stärken kann:

- Freunde suchen und Unterstützer
- Argumente erlernen, mit denen man auf rechtsradikale Auffassungen antworten kann
- Sich als Zeuge zur Verfügung stellen, wenn ein Zeuge gebraucht wird
- Beratung aufsuchen, wenn in meiner Familie jemand abdriftet.

Wer sich in seiner Haltung sicherer geworden ist, hilft vielleicht bei der Organisierung einer Demonstration gegen Fremdenfeindlichkeit oder schafft eine Initiative gegen Rechtsradikale im Stadtteil. Und er geht, soweit dies möglich ist, Debatten mit Menschen, die mit Argumenten noch erreichbar sind, nicht unbedingt aus dem Weg, sondern fordert sie heraus.

Repressive Toleranz

Nun kann ich verstehen, wenn Menschen manchmal so empört sind über Lügen, Ressentiments, Aggressivität und Hass, dass sie sich weigern, in eine Diskussion mit den Vertretern rechtsradikaler Positionen einzutreten und sie stattdessen am liebsten mit einem Bann belegen würden. Die *Spiegel*-Kolumnistin Margarete Stokowski sagte jedenfalls eine bereits ausverkaufte Lesung in einem Münchner Buchladen ab, weil der linksliberale Buchhändler in einem Regal auch Bücher anbietet, die von Autoren der sogenannten Neuen Rechten stammen. Zwar solle man deren Texte kennen, um gegen sie argumentieren zu können, gestand Stokowski zu. Aber auf keinen Fall sollten Bücher solchen Autoren und Verlagen Gewinn bringen, also auch nicht aktiv angeboten werden – dafür gebe es ja Bibliotheken. Die »Positionen von Rechten und Rechtsextremen« dürften auf keinen Fall »normalisiert« werden. Stokowski jedenfalls wollte nicht zu dieser »Normalisierung« beitragen, indem sie in einer Buchhandlung lesen würde, die den Pluralismus bis auf die radikalen Rechten ausdehnt.[70]

Fragwürdig an dieser Auffassung scheint mir allerdings, dass ein Begriff von Normalität gesetzt wird, der in der Gefahr steht, die Demokratie seinerseits zu beschädigen. In ihrer Meinungsstärke gegenüber Rechten haben Linke und Linksliberale wie Stokowski offensichtlich kein Problem damit, eine Eingrenzung oder gar Aussetzung der Meinungsfreiheit zu fordern und zu praktizieren, die sie, beträfe sie Linke, Feministinnen, Queere, Migranten, lautstark anprangern würden. Sie folgen einer Reinheitsidee, die den breiten Raum von Debatten in einer offenen Gesellschaft dirigistisch einengt.

Die Argumentationslinie ist allerdings weit verbreitet. So erklärte der österreichische Schriftsteller Robert Menasse: »Mit den Rechten auf Augenhöhe zu diskutieren bedeutet, sich flach auf den Boden legen zu müssen.«[71] Und Jürgen Habermas empfahl 2016 den traditionellen Parteien, statt um jene »besorgten Bürger« »herumzutanzen«, die den Parolen der Rechtsradikalen nachlaufen, sollten demokratische Parteien sie »kurz und trocken als das abtun, was sie sind – der Saatboden für einen neuen Faschismus«.[72]

Abgesehen davon, dass sicherlich nicht alle Demonstranten dieser politischen Zuschreibung entsprechen, muss ich mich als politisches Wesen fragen: Sollen meine diskursiven Bemühungen an den Grenzen dessen enden, was mir als politisch korrekt und angenehm erscheint? Ich erinnerte mich in dem Zusammenhang an einen Brief von Habermas, der 1978 in der *Zeit* erschien. Darin empörte sich der Philosoph über die »Gesinnungsschutzbehörden«, die mit dem sogenannten Radikalenerlass in »einer ganzen Generation« Angst auslösen und Mutlosigkeit hervorbringen würden.[73] Soll etwa vom herrschaftsfreien Diskurs, den der Autor damals für essenziell hielt, heute nur noch der herrschaftsfreie Diskurs unter Gleichgesinnten übrig bleiben? Wollen wir tatsächlich einem Denken folgen, wonach Rechte und Regeln unterschiedlich je nach politischer Couleur gelten? Eine derartige Auffassung von politischer Korrektheit scheint dies nahezulegen. Aber ist es tatsächlich korrekt, einer solchen Korrektheit zu folgen?

Schauen wir einmal auf den Deutschen Bundestag und seinen Umgang mit der Alternative für Deutschland (AfD). Schon vor der letzten Bundestagswahl wurde ein Gesetz geändert, nur um einen AfD-Abgeordneten zu hindern, als Alterspräsident die Eröffnungsrede des neu gewählten Parlaments zu halten. Nicht mehr dem ältesten Abgeordneten sollte diese Aufgabe nunmehr zufallen, sondern dem *dienst*ältesten Abgeordneten. Also wanderte diese Ehrenpflicht von der AfD zur CDU. Und bei der Wahl der Vizepräsidenten des Deutschen Bundestags, die von jeder Fraktion gestellt werden können, fielen die beiden Kandidaten der AfD jeweils drei Mal und damit endgültig durch. Mag die erste Ablehnung noch verständlich sein, weil es nachvollziehbare individuelle politische Gründe dafür gab, so zeigt die zweite Ablehnung, dass eine Gleichbehandlung der AfD-Abgeordneten nicht gewollt war. Ich finde es aber höchst problematisch, wenn den Vertretern einer in demokratischen Wahlen gewählten Partei Verabredungen der parlamentarischen Geschäftsordnung vorenthalten werden, wie sie allen anderen Fraktionen im Bundes- oder Landtag zugebilligt sind – jedenfalls solange sie sich an Recht und Gesetz halten. Ich halte es in diesem Punkt mit John Rawls, der der Meinung war, dass Intolerante zwar kein Recht hätten, sich über Intoleranz zu beklagen, »dass aber ihre Freiheit nur dann einzuschränken ist, wenn die Toleranten aufrichtig und mit guten Gründen glauben, dass ihre eigene Sicherheit und die der freien Institutionen [...] in Gefahr« sei.[74]

Politisch-wissenschaftliche Weihen erhielt die Beschneidung der Rechte des als rechts identifizierten Feindes bereits vor einem halben Jahrhundert, als Herbert Marcuse 1965 vor den Studenten der amerikanischen Brandeis Universität eine Rede über die »repressive Toleranz« hielt. Der Philosoph und Soziologe, der vor den Nazis in die USA emigriert war, distanzierte sich damals von der liberalen Vorstellung, wonach Toleranz wahrhaft allseits gelten solle. Denn in einer Klassengesellschaft, so Marcuse, mit entsprechend institutionalisiert durchgesetzter Ungleichheit sei Toleranz repressiv: diktiert durch die herrschenden Interessen und einschränkend für oppositionelle Gruppen. Marcuse wollte daher unterscheiden zwischen einer Toleranz, die guten, weil fortschrittlichen, befreienden Zielen dient, und einer Toleranz, die es aufzukündigen gilt, weil sie einer aggressiven Politik, Chauvinismus und Diskriminierung dient. Deshalb plädierte er dafür, »dass rückschrittlichen Bewegungen die Toleranz entzogen wird, ehe sie aktiv werden können«. Und er sprach der angeblich ohnmächtig gewordenen Opposition ein »Widerstandsrecht« zu, »das bis zum Umsturz geht«.[75]

Viel Zuspruch erhielt Marcuse von der Linken. Der linksliberale italienische Rechtsphilosoph Norberto Bobbio aber erklärte seine Meinung für »inakzeptabel«: »Gegen eine repressive eine emanzipatorische Toleranz ins Feld zu führen ... bedeutet schlicht, eine Form der Intoleranz durch eine andere zu ersetzen.« Toleranz habe vielmehr das gleiche Recht für entgegengesetzte Doktrinen anzuerkennen: »Die Toleranz muss sich auf alle Menschen erstrecken, ausgenommen diejenigen, die das Prinzip der Toleranz leugnen.«[76]

Selbstverständlich gilt es genau zu bedenken, ob, wann und wo man einen Disput mit Rechtsradikalen und Rechtspopulisten führt. Ich hielte es beispielsweise für verfehlt, in ihren Zeitungen und Büchern zu publizieren oder auf ihren Veranstaltungen und Kolloquien aufzutreten, denn ich möchte nicht vereinnahmt werden.

Manchmal genügt schon ein Foto in den sozialen Medien, und man wird einem Milieu zugeordnet, dem man keineswegs angehört oder das man sogar bekämpft. Man hat ganz einfach das Recht, sich Orten zu entziehen, wo einem ein Etikett aufgeklebt wird.[77]

In den Parlamenten, in seriösen Medien und pluralistisch besetzten Podien hingegen finde ich eine inhaltliche Auseinandersetzung unerlässlich. Es kann keine Hinnahme von rassistischen Beschimpfungen geben, etwa wenn die AfD-Abgeordnete Alice Weidel Flüchtlinge pauschal als »Kopftuchmädchen, alimentierte Messermörder und sonstige Taugenichtse« denunziert. Oder wenn Caroline Sommerfeld, eine Ikone der rechtsextremen Identitären Bewegung, behauptet, dass jemand, der nicht weiß ist, ein »Fremdkörper« in Deutschland sei und kein Deutscher sein könne. Gemeint war damit der *Spiegel*-Reporter Hasnain Kazim, der als Sohn indisch-pakistanischer Eltern in Oldenburg geboren wurde, deutscher Staatsbürger ist und als Marineoffizier in der Bundeswehr gedient hat.

Selbstverständlich sind auch jene Hunderte von Hassmails inakzeptabel, die Hasnain Kazim regelmäßig erhält: Mails mit Klarnamen von Menschen, die jede Hemmung verloren haben: »Muselpack hat bei uns nichts verloren, Islam gehört NICHT zu Deutschland! Hierzulande gehört es vernichtet und ausgerottet!« (Nebenbei: Kazim ist kein Muslim) Mit Menschen zu diskutieren, die derart verblendet sind und menschenverachtend denken, dürfte in der Regel wenig Sinn machen. Aber Hasnain Kazim, der unzählige Dialoge per Mail, Facebook oder Twitter führte, glaubt in gar nicht so wenigen Fällen entdeckt zu haben, dass Reden durchaus sinvoll sein kann, dass manchmal allein schon der Kontakt ein wenig Wut abbaut und damit einen Raum für Argumente schafft.[78]

Ich mache mir aber insgesamt nichts vor: Man wird kaum Vertrauen bei solchen Wählern gewinnen, die gerade in dem Entzug von Vertrauen die Strafe für die »Elite« sehen. Man wird kaum zu Menschen vordringen, die Pegida-Aktivisten sind oder im Aufstieg der AfD unter Umständen einen persönlichen Triumph über die einstigen Mitstreiter in der CDU sehen. Aber weil ich überzeugt bin, dass viele Menschen die AfD primär aus Gründen der Enttäuschung und des Protests gewählt haben, habe ich auch die Hoffnung, dass zumindest eine gewisse Anzahl von ihnen einer populistischen, teils rechtsextremistischen Partei nicht mehr folgen wird, wenn andere Parteien sinnvolle und effektive Lösungen für Probleme anbieten, die zu lange vernachlässigt wurden. Und wenn Menschen, die sich politisch nicht repräsentiert sehen, in einen – durchaus kontroversen – Diskurs einbezogen und nicht ausgegrenzt werden.[79]

Ich stimme deshalb jenen nicht zu, die meinen, man solle keine Themen aufgreifen, die von den Rechtsextremisten bespielt würden. Denn wer Themen brachliegen lässt oder schönredet, auch wenn sie im gesellschaftlichen Bewusstsein eine große Rolle spielen, überantwortet sie geradezu allein den radikalen Rechten. Das Thema Migration beispielsweise ist erst dadurch ein »rechtes« Thema geworden, dass die Nichtrechten Migration fast nur als Bereicherung schilderten, einseitig die Willkommenskultur lobten und die Belastungen und Gefahren ausblendeten oder kleinredeten. Aber Migration ist kein »rechtes« Thema, sondern ein komplexes Thema, das die gesamte Gesellschaft betrifft. Es geht also nicht darum, Argumenten von radikalen Rechten hinterherzulaufen, es geht umgekehrt darum, Fakten wieder den ihnen gebührenden Platz zuzuweisen, die ganze Komplexität von Problemen wieder aufzudecken – und sie damit aus der Interpretationshoheit der Rechtspopulisten herauszuholen.

Rechts ist nicht rechtsradikal

In unserer politischen Landschaft und in unserem politischen Disput ist es zu einer Unwucht gekommen. Als inakzeptabel rechts werden gemeinhin schon diejenigen apostrophiert, die nichts anderes wollen, als an dem festhalten, was ihnen vertraut und bekannt ist: Konservative, die Gesetze über Abtreibung und die »Ehe für alle« am liebsten rückgängig machen würden und das Adoptionsrecht für homosexuelle Paare ablehnen. Menschen, die darauf verweisen, dass schwere Straftaten bei Teilen von Migranten überproportional zu ihrem Anteil an der Bevölkerung vertreten sind. Als inakzeptabel rechts gilt häufig schon, wer zu seiner Heimat eine besondere Verbundenheit empfindet und am Nationalstaat hängt.

Ja, es stimmt: Diese Menschen stehen rechts von der Mitte, aber sie sind damit nicht rechtsradikal, rassistisch, Nazis. Sie sind einfach dezidiert konservativ. Ein Teil von ihnen dürfte dem Mainstream von gestern angehören, der nicht nur CDU/CSU prägte, sondern durchaus auch Law-and-Order-Politiker aus anderen politischen Milieus umfasste. Mögen sie für mich manchmal auch zu konservativ sein – sie bleiben ein zu respektierender Teil des Meinungsspektrums in einer Demokratie.

Ihr Konservatismus ist eine Haltung, die – ganz im Gegensetz zu Radikalen – Extreme meidet. Der Konservative – so definiert es der Historiker Andreas Rödder, der sich selbst als solcher versteht, – will keine neue Welt erschaffen, weil er den oft hohen Preis des Fortschritts kennt. Er will den »Wandel verträglich gestalten, Bewährtes bewahren und Reformbedürftiges verbessern«.[80] Der Konservative ist misstrauisch, ob der Fortschritt wirklich dem Guten dient oder nicht auch das Schlechte fördert. Das macht ihn zögerlich, abgeneigt gegenüber radikalen Maßnahmen, technologischen Innovationen, Visionen und überschäumender Moral. Er hält sich an das, was er für machbar hält, was oft leider sehr wenig ist. Das mag Linken und Liberalen so wenig gefallen wie unideologischen Fortschrittbejahern, aber das macht den Konservativen nicht zum Reaktionär und erst recht nicht zum Rechtsextremisten.

Rechts im Sinne von konservativ zählt seit über 200 Jahren zum integralen Bestandteil einer demokratischen Parteienlandschaft. Auf der rechten Seite der französischen Abgeordnetenkammer saßen damals die Parteien, die für den Erhalt der Verhältnisse eintraten, während auf der linken Seite jene Platz genommen hatten, die eine Änderung anstrebten. Die konkreten Inhalte ihrer Programme mögen im Laufe der Zeit gewechselt haben, doch der grundsätzliche Unterschied zwischen Menschen, die bewahren und jenen, die verändern wollen, ist geblieben. Bei genauer Betrachtung kommt in ihrer Haltung nicht nur eine politische, sondern immer auch eine anthropologische und psychologische Dimension zum Ausdruck. Dies wird durch die bereits dargestellten Erkenntnisse über die autoritäre Disposition von Menschen noch einmal bestätigt.[81]

Meines Erachtens handelt daher verantwortungslos, wer Konservative, statt sie als Verbündete im Kampf gegen Rechtsextreme und Rechtspopulisten zu begreifen, ebenfalls zu Feinden erklärt. Da lesen manche Linke liberal-konservative Zeitungen wie die *Frankfurter Allgemeine Zeitung*, *Die Welt* und die *Neue Zürcher Zeitung* »wie Parteiorgane der Rechtsextremen« und sehen die CDU durch eine »rechtsextreme Kontaminierung« entstellt.[82] Da verhindern »linke« Studenten Auftritte von Regierungsmitgliedern, stören Vorlesungen oder drohen Professoren in sozialen Medien, weil sie ihnen faschistoide, reaktionäre oder sexistische Anschauungen unterstellen. Auf seiner Jahrestagung 2017 sah sich der Deutsche Hochschulverband daher zu einer Mahnung veranlasst. Wenn jede abweichende Meinung Gefahr laufe, als unmoralisch stigmatisiert zu werden, so heißt es in der Resolution, verkehre sich der Anspruch von Toleranz und Offenheit in das Gegenteil: »Statt Aufbruch und Neugier führt das zu Anbiederung und Feigheit.«[83]

An der Universität Siegen war es im Wintersemester 2018/19 zu besichtigen. Der Philosophieprofessor Dieter Schönecker hatte zu einer Vorlesungsreihe über Meinungsfreiheit als Referenten auch den AfD-Abgeordneten Marc Jongen und Thilo Sarrazin eingeladen, einen wegen seiner migrationskritischen Publizistik umstrittenen Sozialdemokraten und früheren Berliner Finanzsenator. Der Rektor der Universität und der Dekan der Philosophischen Fakultät waren allerdings der Meinung, diese Einladungen enthielten eine politische Botschaft, die den Grundwerten der Universität widerspreche. Die Seminare mit Marc Jongen und Thilo Sarrazin fanden verspätet dann doch noch statt: unter starker Polizeipräsenz, mit Ausweiskontrollen und Einlass allein für angemeldete Besucher. Sie verliefen ohne Störung, kontrovers, aber ernsthaft. Ob sie denn ein Buch von Sarrazin gelesen hätte, fragte ein Reporter des *ZDF* eine Demonstrantin vor dem Hörsaal. Die Antwort: »Nee, ich glaube, das würde ich nicht aushalten.« Es sei eine Grundsatzfrage, kommentierte die Philosophieprofessorin Maria-Sibylla Lotter denn auch den ganzen Vorfall, wie man Andersdenkende behandelt: »Ob man sie als Gegner im Duell anerkennt – wie es in der Bundesrepublik früher üblich war, man denke an die Auseinandersetzungen zwischen Wehner und Strauß, zwischen Habermas und Ernst Nolte während des Historikerstreits – oder ob man sie als nicht satisfaktionsfähig ausgrenzt.«[84]

Das erscheint mir eines der Hauptübel unserer Debattenkultur: Allzu viele haben sich so in ihrer Beziehungswelt, in ihrer Blase eingerichtet, dass es nur selten zu wirklichen Konfrontationen kommt. Andere stellen sich dem Streit nur in homöopathischen Dosen oder in gemäßigten Formaten wie den Talkshows im Fernsehen. Debattenformate an den Universitäten und in der politischen Bildung, wie sie im angelsächsischen Raum eine lange Tradition haben und in deren beständig ein Schlagabtausch von Argumenten eingeübt wurde, sind uns weitgehend fremd. Bei uns melden sich oftmals nur jene, die sich im Gefühl moralischer Überlegenheit gar nicht erst auf eine Debatte einlassen, sondern nur antreten, um Unwerturteile auszusprechen.

Aber: Wo, wenn nicht im universitären Umfeld soll denn der Streit um das bessere Argument stattfinden? Um mich selbst und andere von der Schädlichkeit falscher Ideen zu überzeugen oder um mich auch nur abzugrenzen, muss ich kennen, was ich ablehne(n soll). Muss mir selbst ein Urteil bilden und neue Selbstsicherheit gewinnen, indem ich begründen lerne, was mir falsch erscheint oder was mich abstößt. Ich muss auch ehrlich genug sein und zugeben, wo mir unter Umständen Gegenargumente fehlen. Entweder recherchiere ich dann weiter, um mich klüger zu machen, oder ich muss eingestehen, dass ich vorschnell war in meinem Urteil oder vielleicht sogar irrte. Auch das kann passieren.

In diesem Zusammenhang ist es auch wichtig, sich zu fragen, ob und wie ich Moral in der Auseinandersetzung mit dem politischen Gegner einsetze. Für mich ist unstrittig, dass wir unsere ethischen Normen in politische Debatten einbringen müssen. Aber wenn wir uns ausschließlich auf sie verlassen und deshalb auf Sachargumente verzichten, kann unser Engagement zu einem hilflosen, weil einseitig moralisierenden und gleichzeitig herablassenden Antirassismus, Antifaschismus, Antipopulismus werden. Statt sich auf ritualisierte Warnungen zu beschränken, etwa dass die Geschichte sich nicht wiederholen dürfe, kommen wir nicht umhin, uns der Auseinandersetzung tatsächlich im Detail zu stellen. Man kann nicht durchgängig davon ausgehen, dass das Falsche sich selbst entlarvt.

Mir fällt in diesem Kontext der bereits zitierte John Stuart Mill ein. Hellsichtig hatte er darauf hingewiesen, dass die Freiheit nicht nur durch staatliche Behörden eingeschränkt werden kann. Wenn die Gesellschaft unvernünftige Regeln erlässt und sich in Dinge einmischt, die sie nichts angehen, dann – so Mill – übt sie eine »soziale Tyrannei« aus, fürchterlicher als viele andere Arten politischer Bedrückung. Zwar stehen ihr weniger Strafen als dem Staat zur Verfügung. Dafür aber kann sie umso tiefer in das private Leben eindringen und die Seele versklaven. Die Bürger brauchen deshalb, so Mill, einen Schutz auch gegen die »Tyrannei des vorherrschenden Meinens und Empfindens«, gegen die Tendenz der

Gesellschaft, ihre Ideen Menschen mit abweichenden Meinungen aufzuerlegen und möglichst alle zu zwingen, sich nach ihrem Modell zu formen.[85] Eine derartige soziale Intoleranz ist im Übrigen nicht allein ein Merkmal auf der Linken, sondern auch auf der Rechten. Und mutatis mutandis auch unter den politisch Korrekten und den Islamisten.

Das Feld des Nationalen nicht den Extremisten überlassen

Weil mir das Thema am Herzen liegt, möchte ich noch ein weiteres Beispiel für falsche Intoleranz gegenüber rechts anführen. Illustriert an einem eher unbedeutenden, aber sehr aussagekräftigen Beispiel. Eigentlich, so schrieb die *Welt*, hätte die »#unteilbar«-Demonstration, die im Oktober 2018 mit 240 000 Menschen durch die Innenstadt von Berlin zog, ein »Sommermärchen« werden können,[86] ein Zeichen gegen Rassismus, Hass und politische Zerwürfnisse, friedlich, demokratisch, partei- und lagerübergreifend – tolerant. Doch die Veranstalter hatten kein Problem damit, Organisationen mitlaufen zu lassen, in deren Reihen sich Islamisten, Antisemiten und Freunde autoritärer Staaten fanden. Ungehindert wurde auf der Demonstration von einem Lautsprecherwagen gegen die »zionistische Bewegung« zur »Befreiung Palästinas« aufgerufen, ungehindert auch für einen Israel-Boykott geworben. Aktivisten der Aktion »Flagge zeigen gegen Rechtsextremismus« hingegen, die sich als frei denkend, liberal und tolerant definieren, war schon im Vorfeld bedeutet worden, dass Deutschlandfahnen unerwünscht seien. »Die Deutschlandfahne wollten wir nicht«, erklärte eine Veranstalterin im Nachhinein. »Lieber die Regenbogenflagge aus dem Queer-Block, die Gewerkschaftsfahnen oder ›Refugees welcome‹.« Teilnehmern, die dennoch eine Deutschlandflagge trugen, wurde sie entrissen. Sie sei ein Symbol des »Dritten Reichs«

lautete die harsche Kritik einzelner Demonstranten, oder gar, sie sei die »Flagge des Holocaust«.[87] Man muss schon sehr tolerant sein, um derartige Intoleranz von Inkompetenten auszuhalten.

Wie kann es sein, dass Menschen, die sich progressiv dünken, die schwarz-rot-goldene Fahne ablehnen? Eine Fahne, die die liberale Tradition Deutschlands verkörpert, die auf die Befreiungskriege 1813 bis 1815 zurückgeht und auf dem demokratisch-liberalen Hambacher Fest 1832 zum Symbol für die deutsche Republik wurde. Eine Fahne, die die erste deutsche Republik zwischen 1918 und 1933 als die ihre übernahm. Eine Fahne, die von den Nationalsozialisten verbannt und erst nach dem Krieg in der demokratischen Bundesrepublik wie auch in der DDR wieder zur Nationalfahne erklärt wurde. Wie kann es sein, dass diejenigen, die gegen Rassismus und Faschismus demonstrieren, das Symbol einer Tradition diffamieren, die für die Demokratie steht?

Wer ein solches Nationalsymbol, wer schon den Begriff Nation für gefährlich hält, hat einen Irrweg gewählt. Deutlich ist: Es war gut und nötig, dass sich Deutsche ihrer übergroßen Schuld in der Vergangenheit bewusst geworden sind und dann skeptisch gegenüber jeder Form des Nationalismus waren. Aber wenn Menschen so weit gehen, dass sie aus Furcht vor Nationalismus nationale Prägungen nicht mehr akzeptieren oder automatisch verdächtigen, dann schießen sie über das Ziel hinaus. So kann aus einer guten pädagogischen Absicht und aus einer positiven Selbstkritik auch so etwas wie eine neurotische Feindschaft gegen das Eigene werden. Und diese neurotische Feindschaft gegen das Eigene hat bei vielen zu tiefer und anhaltender Verunsicherung geführt, teilweise sogar zu einer Vernachlässigung nationaler Interessen.

Es wäre ein bitterer, später Sieg des Nationalsozialismus, wenn er einen aufgeklärten Patriotismus auf Dauer verhindern könnte. Denn ob es einem gefällt oder nicht: Die Bedeutung der Nation ist in den Bevölkerungen Europas in den letzten Jahren wieder größer geworden. Und es wäre grob fahrlässig, würden Liberale in einer Zeit, in der bei Menschen angesichts von Globalisierung, Auflösung von Grenzen und zunehmenden Wanderungsbewegungen das Bedürfnis nach Beheimatung wächst, den Nationalstaat generell als suspekten Anachronismus negieren. Dann bleibt das Feld des Nationalen weiter allein den Rechtsradikalen überlassen.

Wenn es stimmt, was der Politikwissenschaftler Benedict Anderson in seinem Buch über »imagined communities« ausführt, dann sind alle menschlichen Gemeinschaften »erfunden«, »imaginiert«, gesellschaftlich konstruiert – auch die Vorstellung von Nation. Insofern ist es eine Verzerrung, wenn Nation und Nationalismus ausschließlich mit einer Vorstellung verbunden wird, nach der die eigene Nation immer über allen anderen stehen, tendenziell hegemonial und mit Rassismus verbunden sein muss. Ein Nationalstaat kann – in Anlehnung an die amerikanische und französische Tradition – als Staatsbürgernation der Freien und Gleichen gedacht und gelebt werden: als Gemeinschaft von Menschen, die sich eine Verfassung auf der Grundlage von Menschenrechten in einem definierten Raum geben. Er kann – in Anlehnung an Johann Gottfried Herder – auf dem Bewusstsein von der Gleichwertigkeit der durchaus unterschiedlichen Nationen gegründet sein. Er kann als eine Gemeinschaft verstanden werden, in der das Eigene gepflegt, das Fremde, Trans- und Supranationale aber nicht ausgeschlossen wird.

In diesem Sinn gilt es, das Nationalgefühl zu bejahen, zu fördern und zu nutzen – dann wird die Nation zum Ort, der historisch deutsch geprägt sein kann und zugleich Angehörigen verschiedener Ethnien, Kulturen und Religionen eine Heimat auf demokratischer Grundlage bietet. Dann wird der Nationalstaat zum Ort, aus dem sich politische Legitimität speist und politische Macht, wo erforderlich und gewünscht, auf europäische Ebenen übertragen werden kann.

Falsche Nachsicht gegen linke Gewalt

Als in Zusammenhang mit dem G20-Gipfel in Hamburg im Juli 2017 Bilder von brennenden Autos und Straßenschlachten zwischen Polizisten und linken Extremisten in die ganze Welt gingen, beschlich mich ein eigentümliches Gefühl. Wen vertraten diese Militanten, die aus ganz Deutschland und anderen europäischen Ländern angereist waren, in ihrem Kampf gegen »Kapitalismus und Krieg«? Wen wollten sie treffen, als sie Polizisten mit Steinen und Feuerwerkskörpern bewarfen, Autos ganz normaler Stadtteilbewohner anzündeten und Geschäfte plünderten? Und wie konnte es sein, dass sich manche Medien nach den Chaostagen entweder mehr über eine angeblich zu zögerliche oder eine ebenfalls gewaltbereite Polizei erregten statt über die Gruppen, die scherbenübersäte Straßen hinterlassen hatten? Hätten Rechtsextremisten derartige Schäden verursacht, wäre das deutsche und internationale Medienecho sicher einem Aufschrei gleichgekommen, und Politiker hätten ihren Hut nehmen können.

Zahlenmäßig sind Links- und Rechtsextremisten in Deutschland etwa gleichauf. Der Verfassungsschutz zählte Ende 2017 insgesamt 29 500 Menschen mit 6393 Straftaten zur linksextremistischen Szene; das rechtsextremistische Lager umfasste mit 24 000 Personen zwar weniger Personen, wies aber mit 19 467 Straftaten eine höhere Kriminalitätsrate auf. Betrachtet man einzelne Straftatbestände, verschieben sich die Bilder jedoch etwas: So wurden bei den Linksextremisten insgesamt 1648 Gewalttaten verzeichnet, die Rechtsextremisten lagen mit 1054 Fällen etwas darunter. Beim Vergleich allein der Zahl der Körperverletzungen hingegen ist die Bilanz umgedreht: Denn mit 904 Fällen begingen Rechtsextremisten fast doppelt so oft Körperverletzungen wie Linksextremisten (499 Fälle).[88] Auch die Ereignisse 2018 zeigen: Die größte Gefahr von extremistischer Seite geht von Rechtsextremen aus.

Das war nicht immer so in den letzten Jahrzehnten. Von den 1970er bis in die 1990er Jahre stand die linksextremistische Gewalt der Roten Armee Fraktion im Fokus des öffentlichen Interesses. Die RAF umfasste zwar nur relativ wenige Personen, und die Zahl ihrer Unterstützer war ebenfalls begrenzt. Aber die äußerst gewaltbereite Terrorgruppe zog eine blutige Spur, mit spektakulären Überfällen und grausamen Morden an Vertretern des »Systems« wie dem Generalbundesanwalt Siegfried Buback, dem Arbeitgeberpräsidenten Hanns Martin Schleyer oder dem Präsidenten der Treuhandanstalt Detlev Rohwedder. Linke Gewalt gab es aber auch außerhalb der RAF, angefangen bei der sogenannten Schlacht am Tegeler Weg 1968, den »Oster-Unruhen« nach dem Attentat auf Rudi Dutschke mit zwei Toten, über die Auseinandersetzungen um die Frankfurter Startbahn West (bei denen zwei Polizisten ermordet wurden), die regelmäßigen Gewaltorgien von Autonomen am 1. Mai in Berlin bis hin zu der »Blockupy«-Demonstration 2015 in Frankfurt gegen die Europäische Zentralbank, bei der autonome Gewalttäter marodierend durch die Straßen zogen und mehrere Hundert Polizisten verletzten.[89]

Während die Rechtsextremen ihren Hass vor allem auf »Fremde« richten, verstehen sich die Linksextremen als Antikapitalisten, Antifaschisten, Antirassisten, auch als Gegner der Gentrifizierung. In letzter Zeit sind auch die Angriffe beider extremistischer Lager gegeneinander angestiegen. Von Linksextremisten wurden Büros und Info-Stände der AfD angegriffen, Veranstaltungen mit AfD-Vertretern behindert, Autos angezündet. Insgesamt, so die Statistik, sollen zwischen 2014 und 2017 allein in Sachsen 143 Anschläge auf Parteibüros der AfD verübt worden sein, etwa so viele wie gegen alle anderen Parteien zusammengenommen.[90] Bei Kundgebungen kommt es zudem regelmäßig zu gewaltsamen Auseinandersetzungen zwischen Linksextremisten und der Polizei oder auch zu gegenseitigen Übergriffen zwischen linken und rechten Extremisten.

In der öffentlichen Rezeption unterscheiden sich links- und rechtsextreme Gewalt erheblich. Gewalt von rechts stößt in der Regel auf breite und lautstarke Empörung und Verurteilung. (Was in einzelnen Fällen nicht ausschließt, dass, wie im Fall des soge- nannten Nationalsozialistischen Untergrunds NSU, Behörden oder Öffentlichkeit auch auf dem rechten Auge blind sein kön- nen.) Gegenüber linksextremen Taten hingegen hält sich der Pro- test meist in Grenzen. Nicht selten existieren sogar Formen von Zusammenarbeit oder Duldung zwischen staatlichen Strukturen, Parteien und Organisationen einerseits und linksradikalen Aktivis- ten bzw. Angehörigen der autonomen Szene andererseits.[91] Häu- fig marschieren »schwarze Blocks« auf linken Demonstrationen mit, so wie auch anlässlich des G20-Gipfels in Hamburg. Und im »Kampf gegen rechts« finden sich Gewerkschaftsjugend, feminis- tische und lokale antifaschistische Gruppen oftmals Seite an Seite mit einer gewaltbereiten Antifa. Manchmal kommt aus dem poli- tisch linken Milieu sogar ein mehr oder weniger offenes Verständ- nis für linksextreme Gewalt, etwa wenn der Kolumnist Jakob Aug- stein nach den G20-Ausschreitungen erklärt: »Man kann nur auf die Gewalt verzichten, wenn man über sie verfügt.«[92] Auch Politi- ker von den Grünen und DER LINKEN versuchen, Linksextreme aus der Schusslinie zu nehmen, indem sie den Blick vor allem auf den »repressiven Staat« und die »Brutalität« der Polizei richten oder die Linie vertreten, Steinewerfer dürften nur intern kritisiert wer- den, eine offene Distanzierung nutze dem Klassenfeind.

Was mich, der ich fünf Jahrzehnte meines Lebens in einer lin- ken Diktatur gelebt habe, verwundert und auch ein wenig bitter macht, ist die Tatsache, dass Linksextreme, obwohl sie nur eine kleine radikale Mehrheit bilden, mit ihren Auffassungen zumin- dest in abgeschwächter Form auf erhebliche Zustimmung stoßen. Es gibt in Deutschland Ost und West ein kulturell linkes Milieu, das zwar nicht über eine kohärente linke Ideologie verfügt, sich für kommunistische und linkssozialistische Theorien aber eine gewisse

Sympathie bewahrt hat. Der Nationalsozialismus steht als drohende Verirrung und als das radikal Böse schlechthin ständig im Raum, der Kommunismus aber hat für viele Menschen trotz millionenfacher Todesopfer (Stalin, Mao, Pol Pot) und trotz seines gesamtgesellschaftlichen Scheiterns seinen Nimbus einer befreienden Heilslehre bewahrt.

Von einem gnadenlosen Überwältigungssystem, das Menschen und Länder in weiten Teilen Europas knechtete, ist zwar nur eine Trotzideologie von sektiererischen Kleinparteien und radikalen Aktivisten und ihren Gruppen geblieben. Doch aufgrund ihrer Motivation wird die radikale Linke bis heute weitgehend zu einem Teil des »guten« Lagers erklärt: Engagiert im Kampf für eine bessere Welt. Es ist doch gut und richtig, gegen die Gentrifizierung zu protestieren, die sozial schwache Bewohner aus ihren Wohnungen treibt. Es ist doch gut und richtig, gegen rechts zu kämpfen, damit Nationalismus, Fremdenfeindlichkeit, Antisemitismus keinen Raum finden. Wie stark Gewaltbereite in einem sympathisierenden Umfeld agieren, zeigte sich 2018 deutlich im Kampf um den Hambacher Forst. Zu »Spaziergängen« im Wald und zu Demonstrationen kamen Hunderte, ja Tausende, Familien mit Kindern, Umweltbewusste, Lehrer in pädagogischer Mission. Aber eine radikale Minderheit nutzte den Protest, um auch gewaltsam gegen Polizei und Räumungskräfte vorzugehen.[93] Die Trennlinie zwischen bürgerlichem Protest und extremistischen Handlungen wurde hier wie bei anderen Aktionen verwischt.

Überschneidungen von linksextremistischen und linken oder gar linksliberalen Positionen sind keine Seltenheit. Eine Studie der Freien Universität von 2015 ergab für mich zum Teil überraschende Zustimmungswerte für systemkritische Positionen. Ein Drittel der Befragten war der Meinung, Kapitalismus führe zwangsläufig zu Armut und Hunger. 60 Prozent hielten die Demokratie nicht für eine echte Demokratie. Sieben Prozent befürworteten den Einsatz politisch motivierter Gewalt – sei es gegen Sachen oder Personen –

gegen die angeblich strukturelle Gewalt des Staates. 18 Prozent sahen die Gefahr eines neuen Faschismus.[94]

Ich bin kein Pazifist. Es gab in der Geschichte Situationen, in denen ich den Einsatz von Gewalt aus der Gesellschaft heraus als adäquat und richtig empfunden habe – etwa bei dem Attentatsversuch gegen Hitler. Diese Gewalt galt der Abschaffung eines mörderischen Systems. Es war Gewalt zur Abschaffung von Gewalt, ein Widerstandsrecht gegen einen Staat, der zur Bedrohung für die eigenen Bürger und fremde Nationen geworden war. Ich halte auch Gewalt für legitim, wenn ein Staat angegriffen wird. Es ist eine Gewalt zum Selbstschutz. Das gilt ebenso für Individuen: Wer angegriffen wird, sei es aus kriminellen oder sei es aus rassistischen Gründen, hat das Recht auf Selbstverteidigung, auf Notwehr. Doch in einem demokratischen Staat gibt es meines Erachtens keine Rechtfertigung für Gewalt. Als Demokraten wollen wir, selbst wenn Intoleranz in politischen Auseinandersetzungen geboten sein kann, keinen Rotfrontkämpferbund und keine SA, die sich in der Weimarer Republik mit Waffen bekämpft haben. Wir wollen eine offene, kontroverse Debatte, und sollte Gewalt bei Gesetzesverstößen erforderlich werden, bleibt sie ausschließlich staatlichen Institutionen vorbehalten.

Auch die Gewalt derer, die dem »Guten« dienen wollen, ist Selbstjustiz und trägt zur Eskalation bei. Sie ist eine massive Infragestellung des staatlichen Gewaltmonopols und beschädigt den Rechtsstaat, einen Grundpfeiler der Demokratie. Allein der Staat hat dafür zu sorgen, dass Menschen an der Ausübung von Gewalt gehindert werden, allein der Staat hat Recht zu sprechen und dafür zu sorgen, dass Gesetzesübertretungen bestraft werden. Für mich ist daher klar: Militante auch auf Seiten der Linken sind zu bestrafen. Toleranz kann es in einer offenen, demokratischen Gesellschaft auch für Gewalt von radikalen Linken nicht geben. Das bedeutet allerdings nicht, dass ich nicht für Toleranz gegenüber kommunistischen Ideen plädiere, auch wenn ich sie für falsch und schädlich halte.

Ich weiß, dass Positionen von Individuen und Gruppen nicht ein für alle Mal festlegen, dass gerade Menschen in Zeiten jugendlicher Umbrüche anfällig sind für Radikalität. »Wer mit 20 Jahren nicht Sozialist ist, der hat kein Herz, wer es mit 40 Jahren noch ist, hat kein Hirn«, soll der französische Politiker Georges Clemenceau gesagt haben. Vor einigen Jahren ist beispielsweise die Band »Feine Sahne Fischfilet« wegen eines Liedtextes, der zu Gewalt gegen Polizisten aufruft, vom Verfassungsschutz beobachtet worden. Ähnlich extremistische Texte aus letzter Zeit sind nicht bekannt. Stattdessen ein Song, in dem sich Sänger Jan »Monchi« Gorkow bei seinen Eltern dafür bedankt, dass sie auch in schwierigen Zeiten zu ihm gehalten haben: »Sollte ich mal Kinder haben, möchte ich so sein wie ihr: Ich find's scheiße, was du machst, aber ich halte zu dir.« Insofern liegt in der Nachsicht manchmal sogar die Chance zu einer Umkehr. Toleranz, die aus Zuneigung und Liebe oder auch durch Zugehörigkeit zu einer Gruppe gewährt wird, zieht Grenzen erst viel später als Toleranz aus rationaler Einsicht und gegenüber Unbekannten.

Unterschätzter Islamismus?

Im Frühjahr 2019 wurde das letzte syrische Dorf vom sogenannten Islamischen Staat befreit. Das »Kalifat«, das im Irak und in Syrien zeitweilig ein Gebiet von der Größe Österreichs umfasste und fast fünf Jahre lang Hunderttausende Menschen indoktriniert, unterdrückt, vertrieben, gefoltert, vergewaltigt und ermordet hatte, verlor seine letzte territoriale Basis. Tausende von Dschihadisten gerieten in kurdische Gefangenschaft, darunter auch junge Männer, Frauen und Kinder aus Deutschland.

Die Zerschlagung des »Islamischen Staats« war ein wichtiger Schritt im Kampf gegen den militanten Islamismus, ein endgültiger Sieg über ihn war es nicht. Etliche IS-Terroristen in Syrien und im Irak gingen in den Untergrund, um sich neu zu formieren. Sie verüben weiter Anschläge und hegen die nicht unberechtigte Hoffnung, dass allgemeine Unzufriedenheit und andauernde Konflikte zwischen Sunniten und Schiiten ihnen erneut Kämpfer zuführen werden. Auch Gefangene des IS bekennen sich weiter zum Dschihad. Selbst Kinder wachsen mit diesem radikalen Programm auf, sie sind, das meint auch der Verfassungsschutz, potenzielle Gefährder der Zukunft. Zudem verfügt der IS selbst aus der Konspiration heraus noch über ein Cyber-Kalifat, das zu Anschlägen anstachelt und Anhänger für Anschläge steuern kann.

40 Jahre ist es jetzt her, dass der politische Islam eine neue Qualität erlangte und seine Offensive startete. Mit seiner Machtübernahme im Iran schuf Ayatollah Khomeini 1979 das Vorbild für einen Gottesstaat, der nicht nur Schiiten wie die Hisbollah im Libanon, sondern auch Sunniten wie die palästinensische Hamas zur Nachahmung animierte. Ebenfalls 1979 stürmte eine radikalislamische Gruppe die Große Moschee von Mekka und ließ das verunsicherte saudische Königshaus das seit 1740 bestehende Bündnis mit der streng orthodoxen wahhabitischen Geistlichkeit erneut bekräftigen. Und schließlich begann 1979 der sowjetische Einmarsch in Afghanistan, in dessen Folge militante Mudschahedin und sunnitische Dschihadisten durch internationale Unterstützung einen Aufschwung erfuhren. Gemeinhin gilt 1979 heute als die Geburtsstunde des modernen militanten Islamismus. Danach ist der reine, der »wahre«, der puritanische Islam die Richtlinie allen staatlichen und privaten Handelns, die Scharia die göttliche Gesetzesgrundlage, die Vollverschleierung der Frauen das äußere Signal. Neben Faschismus und Kommunismus ist so eine dritte illiberale politische und ideologische Kraft im 20. Jahrhundert entstanden; der Glaubenskrieg sollte weltweit zu einem seiner prägendsten Merkmale werden.

Wie andere westliche Staaten steht auch Deutschland deshalb vor den Fragen: Wie umgehen mit einem Fundamentalismus, der

bereit ist, terroristische Gewalt gegenüber Andersdenkenden ein-
zusetzen – und das in unserem Land bereits mehrfach getan hat?
Wie sich verhalten gegenüber jenen jungen Männern und Frauen,
die aus unserem Land in den Dschihad zogen? Zwar sind etliche
umgekommen, aber ein Drittel ist bereits zurückgekehrt, manche
sogar unerkannt vom Verfassungsschutz, andere warten in kurdischen Lagern auf eine Rückkehr. Im Frühjahr 2019 stufte der Verfassungsschutz insgesamt 2240 Personen als islamistisch-terroristi-
sche Gefährder ein.[95] Das Risiko von Anschlägen im Land ist nach
wie vor erheblich und hat sich durch die Zuwanderung von Asylbewerbern in den letzten Jahren sogar erhöht. Vier der sieben Anschläge, die sich 2016 und 2017 in Deutschland ereigneten, wurden von Asylsuchenden ausgeführt.[96]

Verhärtete radikale Milieus unter Muslimen

Die Bekämpfung der Dschihadisten ist vor allem Teil der Sicher-
heitspolitik. Insofern liegt diese Aufgabe in den Händen von Verfassungsschutz, Polizeiinstanzen und international vernetzten Behörden und Organen – nur möglichst umfassende Kenntnis und
hohe Sicherheitsmaßnahmen können die rechtzeitige Aufdeckung
geplanter Anschläge oder die Ergreifung von Kriegsverbrechern ermöglichen. Mehrere islamistische Anschlagspläne sind glücklicherweise rechtzeitig aufgedeckt worden.

Auch die Gerichte spielen eine wichtige Rolle. Der Rechtsstaat
hat zu zeigen, dass er nicht zahnlos ist, selbst wenn die Verbrechen
im Ausland verübt wurden. Und schließlich brauchen wir für den
Kampf gegen den militanten Islamismus weiterhin Deradikalisie-
rungsprogramme und Beratungsstellen, die mit Rückkehrern und
mit jenen arbeiten, die hier durch Radikalisierung gefährdet sind.
Mag es auch schwierig und nur bedingt von Erfolg gekrönt sein:
Durch jeden islamischen Terroristen, der zur Umkehr bewegt wer-

den kann, werden die Sicherheit in unserer Gesellschaft erhöht, unter Umständen sogar Menschenleben gerettet.

Der fundamentalistische Islam findet sich allerdings nicht allein unter seinen *gewaltbereiten* Verfechtern. Diejenigen, die den sogenannten legalistischen Organisationen angehören, haben nämlich dasselbe Ziel: einen Staat, der auf den »wahren« Lehren des Islam aufbaut und sich letztlich in der weltweiten Einheit aller Muslime, in der Umma, verwirklicht. Im Jahr 2017 zählte der Verfassungsschutz rund 25 800 Personen zu derart orthodoxen, extremistischen Milieus – Tendenz steigend, vor allem bei den Salafisten. Wurden 2014 dieser größten extremistischen Gruppe noch 7000 Anhänger zugeordnet, so waren es im Sommer 2018 bereits 11 200.[97] Die legalistischen Organisationen oder Moscheevereine unterscheiden sich von den gewaltbereiten Islamisten oft nur durch die Methoden. Die Terroristen des »Islamischen Staates«, von Al-Qaida oder den Taliban mussten keine neue Religion erfinden, sie konnten aufbauen auf dem, was radikale islamische Moscheen weltweit verkünden. Dass Islam und Islamismus deshalb »etwas miteinander zu tun« haben, liegt auf der Hand.

Nun sind Fundamentalismus und Fanatismus keine Alleinstellungsmerkmale des Islam. Wir finden sie etwa auch bei christlichen Sekten, bei orthodoxen Juden und auch anderen Religionen. Das Besondere des fundamentalistischen Islam besteht insofern nicht in seiner Orthodoxie, sondern in seinem politischen Anspruch. Von Hasan al-Bannā, dem Gründer der 1928 entstandenen Muslimbruderschaft, ist das Zitat überliefert: »Und wenn sie Euch sagen: ›Da ist Politik‹, dann sagt ihnen, dass das der Islam ist und wir die Trennung in Religion und Politik nicht kennen.«[98] Der »wahre« Islam regelt eben nicht nur das religiöse, sondern auch das staatliche und politische Leben; er legitimiert sich durch Gott und nicht durch eine Volkssouveränität; er drängt auf Steuerung aller privaten und gesellschaftlichen Bereiche durch Koran und Sunna – insofern handelt es sich beim islamischen Fundamentalismus um eine totalitäre Ideologie, wie wir sie – unterschiedlich begründet und praktiziert – vom Kommunismus und Nationalsozialismus kennen.

Islamistisch und islamisch

Das muslimische Leben in Deutschland hat sich in den letzten drei, vier Jahrzehnten stark verändert. Anfangs gab es nur die provisorisch ausgestatteten Hinterhof- und Kellermoscheen, die sich die Gläubigen als Treffpunkte und Orte der Einkehr schufen. Als Provisorium wurde diese Situation akzeptiert, dachten die türkischen »Gastarbeiter« damals doch ebenso wie die Deutschen, sie gingen zurück. Erst nach dem Anwerbestopp 1973 änderte sich die Lage. Die verbliebenen Arbeiter richteten sich auf eine Zukunft in Deutschland ein, der Familiennachzug begann. Damals wurden die Muslime in Deutschland auch für die Herkunftsländer interessant. Abgesehen von der Muslimbruderschaft, die schon Ende der 1950er Jahre eine Islamische Gemeinschaft in Deutschland gegründet hatte, nachdem viele ihrer Mitglieder aus Ägypten vertrieben worden waren, sind alle weiteren islamischen Gruppen seit den 1980er/1990er Jahren aktiv.

Eine Studie des Bundesamtes für Migration und Flüchtlinge kommt zu dem Ergebnis, dass Ende 2015 in Deutschland 4,4 bis 4,7 Millionen Muslime lebten und sie damit einen Bevölkerungsanteil zwischen 5,4 und 5,7 Prozent ausmachten.[99] Ein Viertel davon befand sich erst sehr kurz im Land und kam zu großen Teilen aus dem Nahen Osten. Der Anteil der türkeistämmigen Muslime sank auf 50 Prozent, doch sie machen immer noch den weitaus größten Teil der hiesigen Muslime aus.[100] Allein DiTiB, die der türkischen Religionsbehörde Diyanet untergeordnete und vollständig von ihr abhängige »Türkisch-Islamische Union der Anstalt für Religion«, stellt etwa 950 türkische Imame für Deutschland.

In diesem Zusammenhang ist es nicht unwichtig zu wissen, dass nur etwa 20 Prozent der Muslime in Gemeinden organisiert sind. Die Mehrheit hat danach keine oder nur selten Kontakte zu Moscheen. Für sie ist Religion Privatsache und die Vereinbarkeit ihres Glaubens mit dem Grundgesetz kein Problem. Was allerdings in den insgesamt etwa 2700 Moscheen geschieht, welche Gemeinden sich zu welchen Islamverbänden zählen, welche Imame dort predigen und was sie predigen, ist häufig unbekannt. Aufgrund der Abschottung vieler Gemeinden und der fehlenden Sprachkenntnisse von Einheimischen dringt dies nur selten an die Öffentlichkeit.

Dass aber eine Vielzahl von Moscheen existiert, in denen die Gläubigen aufgefordert werden, sich vom »nichtigen« westlichen Leben abzugrenzen, es zu bekämpfen und nach islamischen Regeln zu leben, wurde ansatzweise deutlich, als der Arabischspechende Journalist Constantin Schreiber 2015/16 mehrere Monate lang die Freitagspredigten in den verschiedensten Moscheen besuchte.[101] Die Einsichten, die Constantin Schreiber gewann, haben mich ernüchtert. Solange die Kamera dabei war, redeten die Imame moderat. Wussten die Imame nicht, dass ein Journalist zuhörte, predigten sie Abschottung und Ablehnung: »Anstatt den Muslimen zu sagen: ›Werdet Teil dieser Gesellschaft‹, hieß es: ›Haltet euch von der westlichen Lebensweise fern. Seid nicht mit Christen befreundet. Geht raus und versucht zu missionieren.‹ Das waren – vorsichtig ausgedrückt – die Aufforderungen. Besonders erschreckend fand ich die Aussage: ›Ihr könnt nicht Muslime und Demokraten zugleich sein‹.«[102] Dieser Eindruck von Schreiber deckt sich mit den Ergebnissen der wohl umfassendsten Befragung unter türkeistämmigen Einwanderern, die die Universität Münster im Jahre 2016 durchführte. 42 Prozent der Befragten stimmten der Aussage zu: »Die Befolgung der Gebote meiner Religion ist für mich wichtiger als die Gesetze des Staates, in dem ich lebe.«[103]

Für die oft kemalistisch geprägten türkischen »Gastarbeiter« in Deutschland war die Religion kein bestimmendes Charakteristikum, genauso wenig für die iranischen Oppositionellen, die in Deutschland Asyl erhielten. Sie sahen sich als Türken, Kurden, Iraner, Bosnier, aber nicht pauschal als »Muslime«. Das änderte sich in dem Maße, in dem die Bedeutung der Religion wuchs. Als sie ihre Herkunftsländer verließen, hatten die Frauen auf den Straßen von Istanbul, Teheran oder Kabul die Haare offen und die Röcke der Mode entsprechend kurz und eng getragen. Heute verstecken viele Frauen ihre Haare auch in Deutschland unter einem Kopftuch und verhüllen ihre Körper durch dunkle, weite Mäntel. Die »Kairoer Erklärung der Menschenrechte im Islam« von 1990 stellt die Menschenrechte explizit unter den Vorbehalt der Scharia. 45 Staaten haben unterschrieben, darunter der Iran, Saudi-Arabien und die Türkei, Geltung hat dieses Verständnis auch für viele Muslime in den westlichen Ländern.

Daraus ergibt sich eine latente und permanente Gefahr: Denn diese Einstellung kann zu einem substanziellen Loyalitätsdefizit gegenüber den Werten einer liberalen, demokratischen Gesellschaft führen, zu einem Loyalitätsdefizit dem Staat gegenüber, in dem sie leben. Für nicht wenige Deutschtürken heißt der Staatspräsident tatsächlich Erdoğan. So beeinflusst der politische Islam nicht allein die religiösen, sondern auch die politischen Positionen von Einwanderern und damit ihr Verhalten im Alltag.

Vor 20 Jahren noch hat niemand danach gefragt, ob das Schulessen in Deutschland *haram* (verboten) oder *halal* (erlaubt) ist. Jetzt spielen Jugendliche sich nicht selten als Sittenwächter auf und drängen Mitschüler im Ramadan zum Fasten. Der Erwartungsdruck steigt, dass Mädchen ein Kopftuch tragen. Ich lese, dass ein erheblicher Teil von Schülerinnen nicht am Schwimmunterricht teilnimmt oder nicht mit auf Klassenfahrt fährt. Das islamische Regelwerk wird zum Mittel sozialer Kontrolle. Die Unnachsichtigkeit und die Intoleranz steigen. Lange hat sich die Öffentlichkeit für innerislamische Belange kaum interessiert, aus Angst, Kritik ziehe sofort den Vorwurf der »Islamophobie« auf sich. In den letzten Jahren hat sich die Situation allerdings insofern verändert, als das Vorgehen einiger orthodox-nationalistischer Islamverbände in einer sensibler gewordenen Öffentlichkeit immer wieder Kritik auf sich gezogen hat.

So wurde im Frühjahr 2016 ein von der religiösen türkischen Religionsgemeinschaft DiTiB eingesetzter Comic der türkischen Religionsbehörde Diyanet für Kinder bekannt, in dem der Märtyrertod verherrlicht wird. »Märtyrer sind im Himmel so glücklich – sagt dann der Vater zum Sohn –, dass sie zehn Mal Märtyrer sein wollen.« Zwei Jahre später beteten DiTiB-Imame in Deutschland für »die heldenhafte Armee« und die »heldenhaften Soldaten« des türkischen Militärs, das Gebiete im syrischen Nordwesten okkupierte. Wenig später spielten Vorschulkinder in Soldatenuniformen in einigen DiTiB-Moscheen Kriegsszenen mit türkischen Fahnen nach. So wurde der Schlacht von Gallipoli gedacht, in der der osmanischen Armee im Ersten Weltkrieg ein legendärer Sieg über die Westalliierten gelang. Zudem leisteten einige DiTiB-Imame Spitzeldienste für den türkischen Staat, als sie Angehörige der einst verbündeten und inzwischen verfeindeten Gülen-Bewegung denunzierten.

Irritationen lösen auch Kontakte von DiTiB zu islamistischen Organisationen aus. Zu einem »Treffen europäischer Muslime« in die Kölner Zentralmoschee, das im Januar 2019 unter Ausschluss der Öffentlichkeit stattfand, waren auch zwei hochrangige Vertreter von Organisationen eingeladen, die der Verfassungsschutz dem Spektrum der extremistischen Muslimbruderschaft zurechnet.[104] Der türkische Staatspräsident macht aus seiner Sympathie für die Muslimbruderschaft keinen Hehl; wie schon zuvor mehrfach in der Türkei grüßte er auch bei einem Besuch in Deutschland im September 2018 mit dem »Rabia-Gruß«, dem Symbol der ägyptischen Muslimbrüder. Und bei der Einweihung der DiTiB-Zentralmoschee demonstrierten Anhänger der ultranationalistischen Bewegung der Grauen Wölfe ihre Sympathie für

den türkischen Staatspräsidenten mit dem »Wolfsgruß«: den Arm
ausgestreckt, Zeige- und kleinen Finger der Hand als Ohren ab-
gespreizt, Daumen und Mittel- sowie Ringfinger zur Schnauze
zusammengelegt. Die Grauen Wölfe, die sogenannte Idealisten-
bewegung Ülkücü, sind mit geschätzten 18 000 Mitgliedern in
Deutschland drei Mal so stark wie die NPD – und damit eine
der größten rechtsextremen, verfassungsfeindlichen Organisationen in unserem Land.

Gegenüber außen, also gegenüber der Mehrheitsgesellschaft
fordern islamische und islamistische Gruppen zwar Pluralität und
Religionsfreiheit. Nach innen, gegenüber liberalen Personen und
Gruppen im islamischen Spektrum, lehnen sie Pluralität allerdings
ab und suchen abweichende Interpretationen möglichst zu verhindern. Obwohl einerseits immer betont wird, dass es *den* Islam nicht
gebe, werden Personen wie der Islamwissenschaftler Mouhanad
Khorchide oder die Imamin der liberalen Moschee in Berlin Seyran Ateş als »nicht tragbar« angegriffen.[105] Kritik am politischen Islam, wie er von Muslimen und auch von »Ungläubigen« vorgetragen wird, wird als Islamophobie denunziert, als wäre eine Kritik an
der Religion Blasphemie. Islamkritiker wie Hamed Abdel-Samad,
Ahmad Mansour oder Necla Kelek erhalten Morddrohungen, zum
Teil müssen sie unter Personenschutz leben.

Und hier stellt sich die Frage, ob unsere Gesellschaft und ob
unser Staat bisher zu tolerant auf die Intoleranz von nationalistischen und islamistischen Muslimen reagiert haben. Sind sie ausreichend und auf geeignete Weise tätig geworden, um die Grundent-
scheidung zu beeinflussen, die ein Muslim treffen muss, wenn er
in einer freien, liberalen Gesellschaft lebt: dass die Verfassung Vorrang vor dem Glauben hat und nicht aus religiösen oder kulturellen Gründen relativiert werden kann? Und: Machen wir zu wenig
aus der Tatsache, dass Hunderttausende von Muslimen in unserem
Land vorleben, dass Muslim-Sein und Demokrat-Sein sich nicht
widersprechen muss? Die Mehrheitsgesellschaft braucht diese Ge-

meinsamkeit mit den verfassungstreuen Muslimen, wenn wir der Gefährdung durch den politischen Islam begegnen wollen.

Glücklicherweise ist in der letzten Zeit Bewegung in die Struktur des organisierten Islam in Deutschland gekommen. Unabhängige Initiativen sind entstanden, die sich als Teil der europäischen und deutschen Gesellschaft sehen – als liberale Moschee, als islamische Akademie, als liberale Religionsgemeinschaft, als muslimischer Verein.[106] Dieser neuerdings breiter gefächerten muslimischen Community hat die vierte Deutsche Islamkonferenz 2019 Rechnung zu tragen versucht, als sie neben den Vertretern der großen orthodoxen Verbände verstärkt auch wieder deren Kritiker eingeladen hat. Die innerislamische Debatte über die Auslegung des Glaubens kann nur von den Muslimen selbst geführt werden. Aber zu zeigen, dass Pluralität auch innerhalb des Islam erwartet und honoriert wird, das ist auch Sache der Mehrheitsgesellschaft. In diesem Sinn kann der Blick von außen die Entwicklung innerhalb der islamischen Community befördern. Ich wünsche mir, dass dieser Blick weder angststarr noch aggressiv ist, sondern wach, verständnisvoll, aufmerksam und – wo nötig – hinreichend kritisch.

Antisemitismus: Für einen differenzierten Umgang

Nach dem Holocaust wagte kaum noch jemand in Deutschland, laut und offen gegen Juden zu hetzen; herkömmliche rassistische Judenfeindschaft war aufgrund der NS-Verbrechen weitgehend verpönt. Wo Antisemitismus noch existierte, musste er eine indirektere Art für sein Ressentiment finden. Und so wurden die angeblich allzu selbstkritische und angeblich allzu selbstanklägerische Erinnerungskultur und die angeblich falschen historischen Darstellungen über die NS-Zeit kritisiert. Für besonders Verstockte hatte der Holocaust gar nicht stattgefunden, jedenfalls hatte er nicht so viele Opfer gekostet. Außerdem war »nicht alles schlecht« gewesen in der nationalsozialistischen Diktatur, und für einen späten Relativierer war sie sowieso nur ein »Vogelschiss« in der deutschen Geschichte. Überhaupt hatten die Alliierten mit dem Bombenterror in Dresden und anderen Städten eine ähnliche Schuld wie die Deutschen auf sich geladen. Ein schlechtes Gewissen wollten und wollen sich Revisionisten jedenfalls nicht mehr machen lassen, eine besondere Verantwortung auch nicht mehr tragen. Womit sie nicht nur die NS-Verbrechen verharmlosen, sondern auch die tiefgreifende Wandlung ignorieren, die unsere deutsche Gesellschaft in den Nachkriegsjahrzehnten durchlaufen hat. Sie verraten die Selbstaufklärung.

Nun lese ich allerdings seit geraumer Zeit in den Zeitungen und höre es von Lehrern, von Sozialarbeitern, am meisten von Schülern, dass traditionelle, offen antisemitische Begriffe und Symbole zurückgekehrt sind. Hitlergruß, Hakenkreuze und »Holocaust-Witze«, Beschimpfungen wie »Jude« oder auch »du Scheißjude« sind auf etlichen Schulhöfen an der Tagesordnung. Sprüche im Netz wie »Man hat vergessen, dich zu vergasen«, sind keine Seltenheit. »Der Jude« wird dabei als Wucherer und Geldmensch, als Ausbeuter und Weltverschwörer stigmatisiert.[107] Die »Protokolle der Weisen von Zion«, die alte Fälschung, einst aus Russland über den Westen in die arabischen Staaten exportiert, ist reimportiert worden. Mit den Migranten kam aber auch eine neue Form des Antisemitismus nach Europa und Deutschland – ein Antisemitismus, in dem sich gängige, grotesk überspitzte antisemitische Bilder, Begrifflichkeiten und Mythen mit der Parteinahme für die palästinensische Sache und der Kritik an dem angeblich rassistischen Israel mischen. Millionen haben die Musikvideos einiger der erfolgreichsten deutschen Gangsta-Rapper mit entsprechenden Stereotypen heruntergeladen. Und es bedurfte erst des Skandals um die Echo-Preisverleihung 2018, dass eine breitere Öffentlichkeit von diesen Tatsachen überhaupt Kenntnis nahm.

Judenfeindlichkeit tritt nun in verschiedener Gestalt auf. Da waren die zum Teil vermummten Personen, die am Abend des 27. August 2018 in Chemnitz Flaschen und Steine auf das jüdische Lokal »Schalom« warfen und den Besitzer Uwe Dziuballa an der Schulter verletzten. »Judenschwein, verschwinde aus Deutschland«, schrien sie ihm entgegen, als er wegen des Lärms vor die Tür trat. Es war nicht der erste antisemitische Angriff auf das Lokal. Schon zuvor hatten manchmal Schweineköpfe vor der Tür gelegen, und die Fensterscheiben waren mit Hakenkreuzen beschmiert worden.

Da war aber auch eine Gruppe syrischer Migranten, die in der Nacht zum 7. Juli 2018 in Berlin-Mitte einen anderen Syrer niederschlug, nachdem sie entdeckt hatte, dass er eine Kette mit dem Davidstern um den Hals trug. Sie entrissen ihm die Kette, schlugen auf ihn ein und ließen erst von ihm ab, als Passanten zur Hilfe eilten. Das Opfer erlitt Platzwunden und musste in einem Krankenhaus behandelt werden.[108]

Das sind nur zwei von insgesamt 1799 antisemitischen Vorfällen, die im Jahr 2018 bekannt wurden – ein Anstieg von knapp zwanzig Prozent gegenüber dem Vorjahr. Damit wich die Entwicklung in Bezug auf Antisemitismus sowie Fremdenfeindlichkeit stark vom generellen Trend ab, denn insgesamt haben politisch motivierte Straftaten abgenommen.[109] Zwei Vorfälle auch, die zeigen, dass sich der Antisemitismus nicht mehr nur aus herkömmlichem rechtsradikalen, rassistischen Judenhass speist. Vor allem aus Schulen werden immer häufiger Vorfälle bekannt, dass jüdische Schüler von Muslimen gemobbt und bedroht werden, so dass sie zum Teil die Schule wechselten.

Unsicherheit, wohlmeinende Wahrnehmungsverweigerung und Denkblockaden haben über längere Zeit verhindert, dass der neue Antisemitismus in der Öffentlichkeit überhaupt zur Kenntnis genommen und problematisiert wurde. So kam eine von der EU finanzierte und vom Zentrum für Antisemitismusforschung in Berlin durchgeführte Auftragsstudie 2003 zwar zu dem Ergebnis, dass Menschen aus muslimischen Einwandererfamilien in einigen Ländern der EU Träger eines militanten Antisemitismus seien. Doch diese Studie wurde nicht veröffentlicht; die Ergebnisse waren nicht erwünscht.[110] Offensichtlich bestand eine Furcht, einer Gruppe, die selbst Diskriminierung erfährt, ihrerseits die Diskriminierung anderer anzulasten.

Bis jetzt existiert ein unaufgelöster Widerspruch zwischen Polizeistatistiken und wissenschaftlichen Befragungen. Die Statistik des Bundeskriminalamts schrieb 94 Prozent der 2016 verübten antisemitischen Straftaten (1381 von 1468) rechtsradikalen Tätern zu. Nach einer Studie des Instituts für interdisziplinäre Konflikt- und Gewaltforschung der Universität Bielefeld im Jahr 2016 hatten Betroffene hingegen andere Angaben gemacht: Danach waren körperliche Angriffe zu 25 Prozent von linksradikaler Seite, zu 19 Prozent von rechtsradikaler Seite und zu 81 Prozent von muslimischer Seite erfolgt (Mehrfachnennungen waren möglich).[111] Und aus einer Umfrage, die 2018 von der Agentur der Europäischen Union für Grundrechte (FRA) unter mehr als 16 000 Juden in zwölf europäischen Ländern durchgeführt wurde, ergab sich nicht nur, dass nirgends so viele Menschen wie in Deutschland antisemitisch belästigt wurden – nämlich 41 Prozent. Abweichend zum europäischen Durchschnitt nannten in Deutschland 41 Prozent Muslime als Täter, während Rechtsextremisten 20 Prozent und Linksextremisten 16 Prozent ausmachten.[112] Danach leben wir in einem Land, in dem sich Antisemitismus unverkennbar aus drei Quellen speist.

Eine eindeutige Zuordnung von antisemitischen Stereotypen zu bestimmten Gruppen ist oft recht schwierig. Dass Juden angeblich reich und mächtig und gleichzeitig schwach und feige sind, dass sie hinter den Anschlägen auf das World Trade Center standen, die globalen Finanzströme leiten und die Welt beherrschen, findet sich in den Verschwörungstheorien sowohl bei Rechtsradikalen wie bei

Muslimen. Dass »Zionisten« eine Politik der Apartheid betreiben und die Palästinenser kolonisiert werden, dass Israel ein Vorposten des amerikanischen Imperialismus und sein Recht auf einen jüdischen Staat keineswegs in Stein gemeißelt ist, wird von Muslimen ebenso vertreten wie von Linken.

Als lautstärkste antizionistisch-linke Organisation tritt inzwischen die 2005 gegründete Bewegung Boykott, Desinvestitionen und Sanktionen (Boycott, Divestment, Sanctions – BDS) in Erscheinung. Die in England relativ starke Lobby wirft dem israelischen Staat eine Politik der Apartheid vor, wie sie im ehemals rassistischen Südafrika betrieben wurde, und fordert die Rückkehr aller palästinensischen Flüchtlinge nach Israel.[113] Sie propagiert den Boykott von israelischen Waren und setzt Künstler und Firmen auch in Deutschland unter Druck, um Kooperation mit Israel weitgehend zu unterbinden.

Die Kritik, die Enttäuschung und sogar die Wut über eine Regierung, die Israel neuerdings zum Nationalstaat nur für jüdische Menschen erklärt und den Siedlungsbau in den besetzten Gebieten vorantreibt und legalisiert, vermag ich zu Teilen nachzuvollziehen.[114] Allerdings trägt das von BDS entworfene Israel-Bild teilweise Züge einer Überzeichnung und sogar Dämonisierung. Trotz verschiedener Ungleichbehandlungen der arabischen Israelis handelt es sich bei Israel ganz sicher nicht um einen Apartheidstaat wie im ehemaligen Südafrika. Israelische Araber haben ihre politischen Parteien, ihre Vertretung im Parlament, und sie können ihre Rechte vor Gericht erstreiten. Erst recht betreibt Israel keinen Genozid an den Palästinensern, wie einige BDS-Akteure behaupten, und nur Böswillige oder Wirklichkeitsverweigerer können Gaza zum israelischen Konzentrationslager erklären.[115]

Von starker Voreingenommenheit zeugt auch die gänzlich einseitige Parteinahme für die Palästinenser: als hätte es keine Intifada gegeben, als gäbe es nicht die permanenten militärischen Provokationen aus dem autoritär beherrschten Gazastreifen. Wer glaubwürdig sein will in seinem Kampf für Menschenrechte, kann nicht israelische Angriffe anprangern, palästinensischen Terror oder iranische Propagandaattacken auf Israel als die »Keimzelle alles Bösen« aber verschweigen. Er kann nicht einen palästinensischen Nationalstaat fordern, das Bekenntnis zum Existenzrecht Israels aber verweigern. Mir leuchtet auch nicht ein, warum Künstler aus Europa nicht in Israel auftreten sollen. Eine Zivilgesellschaft durch Boykott für das zu bestrafen, was von einer – freilich demokratisch gewählten – Regierung verursacht wird, nimmt die Bevölkerung in ungerechte wie taktisch unkluge Kollektivhaftung. Ich kann mich des Eindrucks nicht erwehren, dass zumindest bei Teilen von BDS eine antisemitische Grundierung existiert – von Aussöhnung oder dem Wunsch nach Frieden ist von ihnen nichts zu hören, wohl aber oft vom Ende Israels.

Aufklärung hilft

Vordergründig herrscht in unserer Gesellschaft ein Konsens darüber, dass es gegenüber Antisemitismus keine Toleranz geben dürfe. Doch sobald über konkrete Fälle diskutiert wird, gehen die Ansichten über den Umgang damit auseinander, und die ideologischen Gräben treten hervor. Es gibt engagierte Milieus im Kampf gegen den Antisemitismus, für die der Feind nach wie vor eindeutig rechts steht. Ihnen gilt der Verweis auf andere Formen des Antisemitismus schnell als Verharmlosung einer faschistischen Gefahr oder zumindest als Ausdruck einer revisionistischen Geschichtsbetrachtung. Andere sagen umgekehrt: Wer sich in Deutschland auf den traditionellen deutschen Antisemitismus fokussiert, verhindert die Abwehr des importierten und relevanten Antisemitismus, wie er sich vor allem in Schulen und Jugendmilieus zeigt. Und schließlich hören wir noch die Stimmen jener, die sagen: Wer gleich jede Kritik an Israel mit dem Bann des Antisemitismus belegt, der deckt Ungerechtigkeiten in den von Israel besetzten Gebieten und verrät die Opfer israelischer Aggression.

Ich kann mich oft nicht des Eindrucks erwehren, dass hier die Ideologie wichtiger genommen wird als die Auseinandersetzung mit ganz konkreter Menschenfeindlichkeit. Im Alltag stoße ich in Bezug auf Antisemitismus nämlich vor allem auf Unwissen. Im Jahr 2018 gaben rund 40 Prozent der Menschen zwischen 18 und 34 Jahren in Deutschland an, wenig oder gar nichts über den Holocaust zu wissen,[116] nicht wenige Flüchtlinge haben noch nie etwas über Konzentrationslager gehört. Gleichzeitig besitzen Alteingesessene wie Zugewanderte kaum Wissen über die Geschichte Israels und die aktuelle Konfliktlage im Nahen Osten. Gerade Jugendliche übernehmen Auffassungen oft unkritisch von Elternhäusern, Peer-Groups oder aus dem Internet. Ohne Faktenwissen aber bleibt das Feld den Verschwörungstheoretikern und Judenhassern verschiedener Couleur überlassen. Die Erinnerung an den Holocaust ist zwar nicht automatisch eine Impfung gegen Antisemitismus, auch nicht die Aufklärung über die Lage in Israel und im Nahen Osten. Aber ohne Kenntnis der Fakten ist es ausgeschlossen, Vorurteile abzubauen und (verdeckten) Antisemitismus überhaupt zu erkennen. Am wichtigsten erscheint mir im Kampf gegen Antisemitismus augenblicklich daher die Aufklärung.

Zwar berichten Studien davon, dass Lehrer antisemitische Beschimpfungen unter den Schülern oft zur Alltagssprache erklären, also eine pubertäre Provokation in ihnen sehen. Ein Stück weit dürfte hier tatsächlich ein gezielter pubertärer Tabubruch vorliegen, doch rechtfertigen lässt sich Wegsehen oder Übersehen meines Erachtens damit nicht. Wer wegsieht, ignoriert, was frühe Erfahrungen von Stigmatisierung mit den Betroffenen machen. Und wer sich taub stellt, verdrängt, welch destruktives Potenzial in fremdenfeindlichem Denken liegt.

Ich kann mir eher vorstellen, dass manche Lehrer sich inhaltlich nicht ausreichend gerüstet sehen, um differenziert auf die verschiedenen Formen von Antisemitismus eingehen zu können. Im Geschichtsunterricht ist bisher nur der Nationalsozialismus vorgesehen. Danach sind die Deutschen eindeutig die Täter und Juden die Opfer. Für Schüler aus ethnisch deutschen Familien ergibt sich daraus als Lernziel eine besondere Sensibilität und ein besonderes Verantwortungsgefühl gegenüber Minderheiten insgesamt und gegenüber Juden im Besonderen. Für Kinder und Jugendliche aus muslimischen Familien hingegen sind Juden aufgrund des Nahostkonflikts die Täter und die Palästinenser (und Araber insgesamt) die Opfer, mancher aus dieser Gruppe setzt den Davidstern mit dem Hakenkreuz gleich und sieht sich in seinem Hass und in seiner Wut gegenüber Juden gerechtfertigt. Umso wichtiger erscheint mir, dass die Schule Wissen über beide historische Situationen vermittelt: Unterschiede herausarbeitet, die eine Gleichsetzung von Tätern damals und heute verbieten, aber auch eine Empathie ermöglicht, die den Opfern von damals und heute mit Interesse und Anteilnahme begegnet.

Wir erwarten, dass Muslime, die nach Deutschland einwandern, sich die Bedeutung des Holocaust in der deutschen Geschichte bewusst machen und mit einem neuen Blick auf Israel schauen. Das geht meines Erachtens aber nur, wenn sie in ihren eigenen Leiderfahrungen nicht übergangen werden. Wer über sein eigenes Leid nicht mehr schweigen muss, kann Empathie mit anderen entwickeln.[117] Wenn die Mehrheitsgesellschaft die Leidenserfahrung etwa von Teilen der arabischen Migranten nicht ignoriert, dann ist sie auch berechtigt, dort Kritik an ihnen zu üben, wo das notwendig ist.

Die Intoleranz der Guten: Wenn politische Korrektheit zum Problem wird

Betreutes Sprechen

Als mich eine Bekannte das erste Mal darauf hinwies, ich dürfe nicht mehr von Flüchtlingen reden, hielt ich das für einen Scherz. Aber angeblich war dieser Begriff wegen seiner Endung -ling entmenschlichend und abwertend, ich sollte nur an Hänfling, Fiesling oder Schreiberling denken. Bis dahin hatte ich mir nie Gedanken über das Wort gemacht, fand nach kurzem Nachdenken aber ein Gegenargument: Mit Frühling, Schmetterling, Liebling oder Säugling assoziiere ich durchaus Heiteres, Schönes, etwas, an dem man sich erfreue, wie man andererseits über Größe und Gewicht eines Findlings staune. Wenn das Wort »Flüchtling« bei einigen negativ konnotiert sei, dann doch aufgrund der ablehnenden Haltung den Geflüchteten gegenüber. Dieser Tatsache aber sei nicht mit einem Austausch des Begriffs zu begegnen, sondern mit Aufklärung.

Es gebe, wurde ich daraufhin belehrt, noch ein weiteres Argument gegen den Begriff Flüchtling: Er lasse sich nicht gendern. Solle man etwa immer nur an junge Männer denken, die sich auf die gefährliche Flucht begeben? Verdienten nicht gerade die oft

misshandelten Frauen unsere besondere Aufmerksamkeit? Für sie
stehe jedenfalls fest: Es sei wichtig, Frauen sichtbarer zu machen.
Die Begriffe Geflüchteter beziehungsweise Geflüchtete seien korrekter.

Auch diese Begründung erschien mir keineswegs zwingend.
Wenn von Flüchtlingen die Rede ist, denke ich nicht nur an Männer, vielmehr an alle zusammen: an Thomas Mann, Else Las-
ker-Schüler, Willy Brandt, Hannah Arendt, Albert Einstein, Männer *und* Frauen, politisch und rassisch Verfolgte des NS-Regimes
gleichermaßen. Die zwölfeinhalb Millionen Deutschen, die nach
dem Zweiten Weltkrieg aus Ostpreußen, Schlesien, dem Sudeten-
land flohen oder später zwangsweise aus ihrer Heimat ausgewiesen
wurden, waren sogar *vor allem* Frauen und Kinder. Wenn jedenfalls Flüchtlinge oder Vertriebene auf dem Cover eines Sachbuches
über Vertreibung auftauchen, dann sind das überwiegend Frauen
mit ihren Kindern. Und die fast vier Millionen DDR-Bürger, Gegner des kommunistischen Regimes, die unter oft illegalen und le-
bensbedrohlichen Bedingungen »rüber« in den Westen gingen –
wir kannten sie doch, auch bei ihnen handelte es sich um Männer
und Frauen.

Mein Eintreten für den Begriff Flüchtling stützte sich nicht nur
auf Erfahrungswissen, sondern auch auf das Argument von Lingu-
isten. Das generische Maskulinum in der deutschen Sprache meint
trotz maskuliner Endung auch die Frauen: *Der* Steuerzahler etwa,
der vom Staat zur Kasse gebeten wird, umfasst nicht nur steuerzah-
lende Männer, sondern auch alle abgabepflichtigen Frauen. Oder
der Dieselfahrer, der wegen zu hoher Abgaswerte unter Druck ge-
rät, meint nicht nur Männer, die einen Diesel fahren, sondern
selbstverständlich auch die Frauen. Im Deutschen besteht oft kein
fester Zusammenhang zwischen grammatikalischem und natürli-
chem Geschlecht. Also: *Der* Bär, *die* Schlange, *das* Pferd. Müssten
dann nicht auch maskuline Formen etwa für die Schlange oder die
Giraffe erfunden werden?

Ich konnte meine Gesprächspartnerin allerdings nicht überzeugen. Für sie war das generische Maskulinum ein weiterer Beweis für die Dominanz des Mannes in der Gesellschaft, die Entwicklung einer geschlechtergerechten Sprache insofern ein Gebot der Stunde, um, wie sie formulierte, »der Diversität der Gesellschaft« Rechnung zu tragen.

Ich fand mich einem konservativen »altmodischen« Lager zugeordnet, das der weiteren Gleichberechtigung von Frauen und überhaupt aller sexuellen Minderheiten angeblich entgegensteht. Doch in mir blieb ein Stachel des Widerstands: Ich empfand die Korrekturen als willkürlich. Einer Ideologie geschuldet, aber oft nicht erforderlich in der Realität.

Längst geht es nämlich nicht mehr allein um die Sichtbarmachung von Frauen, das Binnen-I, wie es etwa bei den LeserInnen auftaucht. Längst sollen *alle* sichtbar werden, auch Schwule, Lesben, Transgender und andere der 60 Geschlechter, die Facebook augenblicklich benennt. Quasi in vorauseilendem Gehorsam – denn noch hat der Rat für deutsche Rechtschreibregelung keine verbindliche Regelung für eine gendergerechte Sprache festgelegt – greifen die einen nun zu Sternchen oder Unterstrich, damit sich alle gemeint und nicht nur »mitgemeint« fühlen. Die Stadt Gießen schrieb die Stelle für einen Müllwerker dementsprechend für eine »Mülllader*in« aus. Die anderen nutzen, wenn irgend möglich, neutrale Formulierungen. Statt von Fußgängern ist in der bundesdeutschen Straßenverkehrsordnung nun von »zu Fuß Gehenden« die Rede; Radfahrer mutieren zu »Radfahrenden« und Autofahrer zu »Fahrzeugführenden«. (Es stört offensichtlich nicht, dass sich mit der Partizipialkonstruktion der Sinn ändert: sind doch Radfahrer, wenn sie im Büro angekommen sind, keine Radfahrenden mehr.) Bis jetzt konnte mir jedoch noch niemand die Frage beantworten, warum es weniger kränkend sein soll, von einer neutralen Bezeichnung oder vom Gendersternchen »mitgemeint« zu sein als vom generischen Maskulinum.

Trotzdem dürfte wohl fast jede Universität schon Leitfäden für eine gendergerechte Sprache herausgebracht haben: meist eine endlose Aufzählung von Regeln, wann gegendert, wann geschlechtsneutrale Ausdrücke verwandt und wann geschlechtsspezifische Personenbeschreibungen umgangen werden sollen. Fortgeschrittenen wird empfohlen, gendergerechte Sprachumwandlung auch auf zusammengesetzte Wörter auszudehnen – also statt vom »Täterprofil« lieber vom »Täter*innenprofil« zu schreiben. Und damit beim Pronomen »man« niemand an einen Mann denkt und sich das generische Maskulinum durch die Hintertür wieder hereinschleicht, soll man das »man« möglichst ganz vermeiden. Statt »Man hat seine Gefühle nicht immer im Griff« also in Zukunft: »Mensch hat seine Gefühle nicht immer im Griff.«[118]

All das ist eine Wissenschaft für sich und wahrlich nicht nur für mich: eine Zumutung und eine Verunstaltung der Sprache.

Warum, frage ich mich, wird vielerorts und offiziell bereits durchgesetzt, was noch nicht ausdiskutiert ist und zumindest augenblicklich keine Mehrheiten hinter sich hat? In meinem Umfeld hat eine Minderheit das Gendersternchen zwar in ihren privaten E-Mails übernommen, die übergroße Mehrheit allerdings hält demonstrativ an alten Schreibweisen fest. Eine Umfrage des Meinungsforschungsinstituts Insa-Consulere vom Frühjahr 2019 bestätigt die überwiegende Ablehnung.[119] Auf die Frage, wie wichtig oder unwichtig die gendergerechte Sprache für die Gleichberechtigung der Frau sei, antworteten nur 27,1 Prozent der Männer und 27,9 Prozent der Frauen mit »sehr wichtig« und »eher wichtig«. Über 60 Prozent hingegen waren der Meinung, sie sei »sehr unwichtig« oder »eher unwichtig«. Mehr als die Hälfte empfindet sprachliche Vorschriften durch Behörden oder Arbeitgeber als störend, 75,3 Prozent lehnen gesetzliche Vorschriften zur Sprachneutralisierung ab. Selbst die Grünen, die der Gendersprache näher stehen, finden zu 83,4 Prozent, dass über Gendersprache zu viel diskutiert wird.

Ich sperre mich nicht grundsätzlich gegen sprachliche Korrekturen. Dort, wo sie einfach und einsehbar sind und viele betreffen, werden sie sich auch sicher durchsetzen. Aber Sprache darf sich entwickeln, ideologiegeleitetes Besserwissen und darauf folgender Regelungsfuror schrecken Menschen eher ab, als dass sie Veränderung fördern. Mich jedenfalls stört der vormundschaftliche Gestus, den die Veränderer an den Tag legen. In mir entsteht Abwehr, wenn paternalistische (oder maternalistische) Fürsorge mich in einen Sprachraum nötigen, der von betreutem Sprechen geprägt ist. Und ob eine Haltungsänderung durch eine Strategie forcierter Sprachlenkung überhaupt befördert wird, ist noch die Frage. Selbst eine veränderte Sprache erspart uns nicht, was doch eigentlich bezweckt ist: ein achtsamerer Umgang miteinander. Und dass wir sensibel miteinander umgehen können, haben wir in der Realität zu beweisen.

Es gibt zweifellos Wörter, bei denen die diskriminierende Konnotation eindeutig ist – ein »Neger« ist inzwischen fast wie ein »Nigger« ein Schimpfwort, mit dem Weiße in den amerikanischen Südstaaten äußerst abfällig über ihre Sklaven sprachen. Als ein AfD-Bundestagsabgeordneter den Sohn von Barbara und Boris Becker als »kleinen Halbneger« beschimpfte, verurteilte das Berliner Landgericht ihn zu 15 000 Euro Schmerzensgeld. Es hielt die rassistische Bezeichnung nicht einmal mehr durch die Meinungsfreiheit gedeckt. Andererseits gibt es andere Begriffe für dunkelhäutige Menschen, die sich im Umlauf befinden und von der Meinungsfreiheit gedeckt, aber längst nicht alle »korrekt« sein sollen. Fragt sich: Was ist richtig, und wer entscheidet darüber?

Soll ich von Schwarzen reden oder von Farbigen, von Afrodeutschen, »People of Color« oder, wie ich unlängst in unnachahmlichem Deutsch las, von »Menschen of Color«?[120] Muss jeder in unserem Land wissen, dass der Begriff »Farbige« in Zeiten der Rassentrennung in den USA jene Menschen bezeichnete, denen die Bürgerrechte vorenthalten wurden, und daher diskriminierend ist? Und was ist mit Begriffen, die seinerzeit nicht diskriminierend waren – etwa wenn fortschrittliche deutsche Radiokommentatoren aus den USA über den »Negerführer« Martin Luther King berichteten? Sollen Tonträger mit einer derartigen Terminologie künftig in Archive gesperrt oder bei heutiger Ausstrahlung akustisch übertönt werden?

Im Übrigen gilt jemand, der sowohl schwarze wie weiße Vorfahren hat, in den USA als Schwarzer, in Südafrika und Angola hingegen als »Mischling«.[121] Wer also sagt mit welchem Recht, dass die eine Bezeichnung in Deutschland korrekt, die andere aber verurteilenswert sei? Selbst Betroffene benutzen manchmal durchaus unterschiedliche Selbstbezeichnungen, in Bezug auf ihre sexuelle Orientierung ebenso wie auf die ethnische Zugehörigkeit. In Deutschland gilt beispielsweise als Rassist, wer nicht von Sinti und Roma spricht. Manche lehnen selbst das schon als rassistisch ab, sie wollen nur noch von Bulgaren und Rumänen reden. In Rumänien hingegen wird der Begriff Roma von vielen abgelehnt. Das Wort sei scheinheilig, haben Betroffene der Literaturpreisträgerin Herta Müller gesagt. »Wir sind Zigeuner, und das Wort ist gut, wenn man uns gut behandelt.«[122]

Selten habe ich die dialektische Beziehung zwischen Begriff und Bedeutung so prägnant zusammengefasst gefunden. Ich bin überzeugt, jeder hat es an sich selbst und in seinem Umkreis erfahren: Allein die Tatsache, dass bestimmte diskriminierende Wörter durch neutrale Begriffe ersetzt werden, ändert nicht automatisch die Haltungen von Menschen. Wer »Neger« und »Zigeuner« verachtet, wird sie auch nicht achten, wenn er sie als Schwarze oder Roma und Sinti bezeichnen muss. Das Diskriminierende verschwindet nicht allein durch Semantik, oft geht es auf den Nachfolgebegriff über. Ich will mich zwar nicht generell gegen einen Begriffswechsel aussprechen, er ergibt sich, wenn Empathie und Toleranz in einer Gesellschaft wachsen. Im Übrigen plädiere ich aber dafür, nicht im diskriminierenden Begriff das eigentliche Problem zu sehen, sondern in der rassistischen Haltung dessen, der ihn zur denunziatorischen Abgrenzung verwendet. Darauf hat souverän der afroamerikanische Schriftsteller James Baldwin hingewiesen. »I'm not a nigger«, erklärte er in einem Dokumentarfilm. »I'm a man. If you think, I am a nigger, that means, you need it. And you have to find out, why.«[123] Statt so viel Energie auf die Entwicklung immer differenzierterer Begriffe zu verwenden, sollten wir unsere Kraft also lieber dafür einsetzen, uns rassistischem Verhalten im Alltag tatsächlich zu stellen und zu sagen, dass wir damit nicht einverstanden sind.

Politische Korrektheit auf dem Vormarsch

Bevor die *political correctness* in den Vereinigten Staaten sprunghaft an Bedeutung gewann, war der Begriff kaum einem Amerikaner bekannt. Als Erster schrieb Richard Bernstein 1990 in der *New York Times* über »Die zunehmende Hegemonie der politischen Korrektheit«.[124] Ein Besuch in Berkeley hatte ihm eine »wachsende Intoleranz, eine Beendigung von Debatten, einen Druck zur Konformität« unter Lehrenden und Lernenden offenbart. Zwar konstatierte er, dass selbst ihre Befürworter nur mit einer gewissen Ironie über die politische Korrektheit sprachen; das hinderte sie allerdings nicht daran, »korrekte« Auffassungen systematisch in den Lehrveranstaltungen durchzusetzen. Es sei, so Bernstein, »eine Art inoffizieller Ideologie der Universität« entstanden, ein Code, der festlegte, welche Auffassungen in den Bereichen Rasse, Ökologie, Feminismus, Kultur und selbst Außenpolitik als korrekte Sichtweise gegenüber der Welt zu gelten hätten.

Bernsteins Artikel in der einflussreichen *New York Times* wirkte wie ein Schleusenöffner. War der Begriff »politisch korrekt« bis dahin kaum in amerikanischen Medien benutzt worden, so tauchte er 1990 schon über 700 Mal und 1992 bereits 2800 Mal auf.

Die politische Korrektheit war das neue große Thema, eine von Anbeginn schillernde Erscheinung. Handelte es sich um eine neue Aufklärung oder um eine neue Gesinnungskontrolle wie in der McCarthy-Ära, wie einige Kritiker meinten? Schon in den 1930er Jahren hatten amerikanische Kommunisten jene Genossen in ironischer Distanz als »politisch korrekt« bezeichnet, die den Dogmen der Parteiführung selbst noch in stalinistischen Zeiten mit großem Eifer folgten.[125] Spöttisch nutzte auch die Linke in den 1960er/1970er Jahren den Begriff, um sich gegenüber dogmatischen Auffassungen in den eigenen Reihen abzugrenzen. Insofern haftet dem Begriff eine eigentümliche Ambivalenz an: Sie geht zwar von der Existenz einer »richtigen« Linie aus. Häufig schwingt aber selbst bei ihren Befürwortern auch ein wenig Ironie mit, wenn von ihr die Rede ist. Denn es lässt sich nicht übersehen, dass auch das Gute und Richtige Ungutes bewirken kann, wenn es zu dogmatisch und zu orthodox umgesetzt wird.

Ich gestehe, dass ich die Debatten über politische Korrektheit in den Vereinigten Staaten zunächst wenig verfolgt habe. Ihre Intentionen entsprachen allerdings meinem Sinn für Gerechtigkeit, denn sie trat auf als Anwältin von Frauen und von Minderheiten und kämpfte gegen Sexismus und Rassismus. Es erschien mir einleuchtend, durch gezielte Vorteilsgewährung der strukturellen Benachteiligung von Minderheiten entgegenzuwirken. Bei einem vierwöchigen Studienaufenthalt in den USA Anfang der 1990er Jahre wurde mir die *affirmative action* als Instrument ausgleichender Gerechtigkeit vorgestellt: Bevorzugung als Ausgleich für erlittene Benachteiligung. Entsprechend wurden Stellen besetzt, »nichtweiße« Inhalte in die Curricula aufgenommen, diskriminierende Umgangsformen geahndet.

Tatsächlich haben die Bemühungen zur Antidiskriminierung von Minderheiten zahlreiche Früchte getragen, auch in Europa, auch in Deutschland. Die Sensibilität für die Repräsentanz von Frauen, Migranten, Menschen mit Behinderung ist in Redaktionen, Parteien, Parlamenten und Unternehmen gestiegen. Die Unterschiede zwischen weiblichen und männlichen Verhaltensstereotypen wurden abgeschwächt, Vergewaltigung in der Ehe ist strafbar. Schwule und Lesben müssen sich in Deutschland nicht mehr verstecken oder gar mit Strafe rechnen, die Ehe auch für gleichgeschlechtliche Paare wurde erlaubt. Den Intersexuellen ist es seit Anfang 2019 möglich, sich im Geburtenregister als drittes Geschlecht – »divers« – eintragen zu lassen. Wir sehen: Die Demokratie und die Erweiterung von Gleichheit und Teilhaberechten gehören zusammen. Existierende Defizite können behoben werden, auch weiterhin; sich dies bewusst zu machen, befördert noch einmal unser Ja zur offenen Gesellschaft.

Früh allerdings war auch die dogmatische, problematische Seite der politischen Korrektheit erkennbar. Die Rechte hat jedenfalls in den USA jede Chance genutzt, den missionarischen Eifer in der Durchsetzung der »richtigen Linie« anzuprangern. In einer Rede an der Universität Michigan 1991 erklärte Präsident George H. W. Bush: »Was als Kreuzzug für Anstand begann, ist umgeschlagen in einen Konfliktherd und sogar in Zensur.«[126] Tatsächlich kennt die politische Korrektheit oft nur ein Entweder-Oder. Es handele sich um eine Art tugendgeleitete Überreaktion, eine neue Intoleranz, die mit Wahrnehmungs- und Denkverboten verbunden sei. »Was nicht politisch korrekt ist, ist eben unkorrekt«, schrieb der *Zeit*-Journalist Dieter E. Zimmer 1993 als einer der Ersten in Deutschland über die politische Korrektheit. »Grauzonen des Zweifels räumt sie nicht ein, Zickzackprofile gehen über ihren Horizont: Wer das Lager der PC in einem Punkt verlässt, wird sofort in das des Feindes eingewiesen. Sie ist zudem durch und durch moralisch: Das Inkorrekte ist nicht nur falsch, es ist böse.«[127]

Und da Böses nicht geduldet werden darf, wird es unnachsichtig verfolgt. Politische Korrektheit war allzu häufig mit Unnachsichtigkeit verbunden. Das haben nicht nur Traditionalisten und Konservative beklagt, sondern durchaus auch Liberale. In seinem

Roman »Der menschliche Makel« schildert Philip Roth einen an-
gesehenen Literaturprofessor, der einer unbedachten Äußerung
wegen um sein ganzes Lebenswerk gebracht wird. Zwei Studentinnen, die regelmäßig bei seinen Vorlesungen fehlten, hatte er leicht-
fertig als »dunkle Gestalten, die das Seminarlicht scheuen«, bezeichnet. Was dem Professor entgangen war: Bei den Studentinnen
handelte es sich um Schwarze; seine ironische Äußerung wurde
ihm als Rassismus ausgelegt. Es folgten erniedrigende Anhörun-
gen, entnervt gab der Professor schließlich auf. Er verlor nicht nur
die Stelle, er verlor auch seine Frau. Sie sei, war der Literaturprofessor überzeugt, aufgrund der Hetzjagd gegen ihn an einem Schlag-
anfall gestorben.

Längst brauchen wir in Deutschland nicht mehr auf Beispiele
jenseits des Atlantiks zu verweisen. Politische Korrektheit hat sich
auf alle Bereiche auch unseres Alltags ausgedehnt. Dass »Mohren-
kopf« und »Negerkuss« inzwischen ohne große Schmerzen der Ge-
nießenden »korrekt« benannt werden, zeigt, dass Begriffswandel
auch angenommen wird. Wenn historisch gewachsene Namen wie
etwa bei der Mohrenstraße geändert werden sollen, bin ich schon
skeptischer. Und unverständlich ist mir, wenn in einer Welt, in der
Imagination, Zauber und Verwandlung wie im Theater herrschen,
darüber gestritten wird, ob Schauspieler sich schwarz anmalen dürfen. Wie also die Statisten in Verdis »Aida« oder Mozarts Bösewicht
Monostatos in der »Zauberflöte« besetzen? Manchmal bleiben die
Schauspieler nun weiß, was bei Verdis »Othello« auch schon vor-
gekommen ist, oder es werden schwarze Sänger engagiert. Der Frechener Karnevalsverein »Frechener Negerköpp« wollte die Eskalation eines Konflikts lieber vermeiden. Er benannte sich in »Wilde
Frechener« um und sortierte die schwarze Gesichtsschminke aus.
Über drei Jahre hatten Mitglieder des Vereins persönliche Drohun-
gen und nächtliche Anrufe erhalten; auf Veranstaltungen waren sie
von den Gästen beschimpft worden.[128] Nur die Niederländer wollen sich dem Trend der Missbilligung von *Blackfacing* offensichtlich

nicht fügen. Die Kritik am »Zwarte Piet«, dem angemalten Schwarzen Peter, einer Figur des populären Sinterklaasfestes, hat zu erbitterten, landesweiten Protesten geführt. Die einen möchten den »Zwarte Piet« nun als immaterielles Kulturgut auf die UNESCO-Liste setzen lassen, für die anderen sollte das folkloristische Treiben als Ausdruck rassistischen Denkens abgeschafft werden.

Die Grenzen der öffentlichen Regulierung

Es gibt fast nichts mehr, das in Bezug auf seine politische Korrektheit nicht auf den Prüfstand geraten ist. Wir schauen wie mit einer anderen Linse auf die Welt. Soweit bisher unterschätzte, wenig oder gar nicht beachtete Aspekte ans Tageslicht kommen, soweit unser Wissen angereichert und differenzierter wird, begrüße ich diese Entwicklung. Sie lässt bisher unsichtbaren, benachteiligten oder diskriminierten Menschen mehr Gerechtigkeit widerfahren, sie konfrontiert die Mehrheit mit Schattenseiten ihrer Geschichte und nötigt sie zu einer kritischen Selbstreflexion. Wogegen ich mich allerdings wehre ist, wenn politisch Korrekte ein Monopol ihrer Ansichten im öffentlichen Raum durchzusetzen versuchen. Wenn sie Andersdenkende unter massiven Rechtfertigungsdruck setzen oder öffentlich verdächtigen oder schmähen. Wenn sich Studenten für Regelungen des Sprachgebrauchs und der Literaturvorgaben aussprechen und nicht einmal mehr die Diskussion kontroverser Standpunkte hinnehmen wollen. So forderte eine Studentengruppe an der Universität Frankfurt die Absetzung eines Symposiums über das Kopftuch, einfach weil dort auch kritische Stimmen zu Wort kommen sollten. Moral wird hier ein Mittel der Nötigung, Intoleranz ein inakzeptables Mittel zur Durchsetzung des angeblich Guten. So können aus liberalen Anhängern einer offenen Gesellschaft illiberale Rechthaber werden, die Pluralität einschränken.

Ich halte es zwar für falsch, wenn man Menschen dafür tadelt, wenn sie das, was sie erfüllt und was sie für sich selbst als segensreich empfunden haben, weitergeben wollen, egal ob man dies Mission nennt oder Werbung oder Einladung zu einer Suche nach der besten Weise zu leben. Die Erfahrung, dass wir zentrale, befreiende, glücklich machende Elemente in unserem Leben kennen und uns zueignen, bringt das Bedürfnis hervor, darüber nicht zu schweigen, sondern anderen davon mitzuteilen oder sie einzuladen, an diesen Erfahrungen teilzunehmen. Ein Problem taucht allerdings auf, wenn aus dem Werben für eine Religion oder eine neue, gute Idee Druck, Zwang oder Diskriminierung Andersdenkender hervorgehen.

Ich kann verstehen, wenn jemand zum Veganer wird, weil er verhindern will, dass seinetwegen Tiere getötet werden und die Landwirtschaft weiter so stark zur Erzeugung von Treibhausgasen beiträgt. Aber ich kann nicht mehr verstehen, wenn diese Person sich weigert, mit Nichtveganern ein nichtveganes Restaurant zu besuchen, weil sie keinen Gastwirt unterstützen will, der an Fleisch verdient.

Bei vielen Entscheidungen geht es zudem nicht einfach um richtig oder falsch, sondern um besser oder schlechter und um die Abwägung von Interessen. Ja, Fliegen schädigt die Umwelt. Wenn Greta Thunberg kein Flugzeug benutzt, obwohl sie dadurch ihren Radius und ihre Aktivitäten einschränkt, dann mag das löblich sein. Aber können wir umstandslos den Mann oder die Frau kritisieren, die nicht bereit sind, auf das Fliegen zu verzichten, weil sie dadurch in ihrer Berufsausübung eingeschränkt wären oder gar ihren Job verlieren würden?

In einer freien Gesellschaft sollte der Regelungswille von Gesellschaft und Politik in Fragen des Lebensstils so gering wie möglich sein. Kontrolleifer und Anpassungszwang fördern bekanntlich unaufrichtiges Verhalten. Häufig rufen sie auch Trotz und Abwehr hervor, wie wir es gerade in einigen westlichen Ländern erleben.

Dabei sollten wir doch vor Augen haben: Eine Erziehungsdiktatur, wie sie das kommunistische System errichtet hat, vermochte bekanntlich keine besseren Menschen hervorzubringen. Am nachhaltigsten ist und bleibt Umdenken. Dazu braucht es Debatten. Wandel ist, wie uns die Erfahrung lehrt, durchaus möglich. Aber Menschen benötigen Zeit, um neues Denken innerlich zu akzeptieren. Und wer beim Lernprozess den Faktor Zeit nicht einkalkuliert, wird weniger Erfolg haben oder gar scheitern.

Ja, wir brauchen politische Korrektheit im Sinne einer politischen und ethischen Orientierung, denn genau das macht auch ihre Attraktivität für viele aus: Sie will als ein Kind der Zivilisation Orientierung für »gute Ziele« geben. Aber es muss erlaubt bleiben, über diese Zielvorstellungen und die besten Wege dahin kontrovers zu diskutieren. Wir brauchen politische Korrektheit nicht mit einem besserwisserischen, andere deklassierenden und andere überfordernden Gestus. Wir brauchen sie nicht als verkapptes Herrschaftsinstrument im Stil einer vormundschaftlichen Moral. Weil wir dankbar sind für die Gaben der Zivilisation, und weil sich unsere Sprache und unser Verhalten in der Vergangenheit zivilisiert haben, rechnen wir auch mit Weiterentwicklungen in der Zukunft. Dabei werden natürlich Pressure Groups der Masse vorausgehen, so wie bei jeder Weiterentwicklung. Aber wir brauchen eine gewinnende, einladende Form der Neuorientierung und eine Toleranz, die jedem den Grad seiner Umorientierung jedenfalls in weiten Teilen überlässt.

Identitätspolitik – gerechter oder spalterisch?

Als die schwarzen Feministinnen des Combahee River Kollektivs[129] 1977 ihre politischen Grundsätze und Ziele niederschrieben, konnten sie nicht ahnen, dass ihr Dokument vielen heute als der Ausgangspunkt der sogenannten Identitätspolitik gilt. Denn dieses Dokument, entstanden aus dem Geist der schwarzen Bürgerrechtsbewegung, enthält alles, was Identitätspolitik heute kennzeichnet: Eine unterprivilegierte Gruppe, die sich durch einen wichtigen Aspekt ihrer Identität verbunden fühlt, schließt sich zur Durchsetzung ihrer ganz spezifischen Interessen zusammen. Im Unterschied aber zum gewerkschaftlichen Kampf von Arbeitern für höhere Löhne und bessere Arbeitsbedingungen geht es in der Identitätspolitik vor allem um den Kampf für mehr Gerechtigkeit und Gleichberechtigung von rassischen, ethnischen, kulturellen oder sexuellen Minderheiten.

Die schwarzen Feministinnen des Combahee River Kollektivs sahen sich gleich mehrfach benachteiligt: als Opfer eines weißen und eines schwarzen männlichen Sexismus, und als Opfer eines weißen männlichen und eines weißen weiblichen Rassismus. Ihr Kampf war daher weder vollständig identisch mit dem Kampf der afroamerikanischen Männer in der Bürgerrechtsbewegung noch mit dem der weißen Feministinnen aus der Mehrheitsgesellschaft. Und weil sie überzeugt waren, dass die Radikalität zur Beendigung dieser doppelten Unterdrückung aus ihrer ganz spezifischen Konstellation, ihrer ganz spezifischen Identität erwachse, formulierten sie: »Die Fokussierung auf unsere eigene Unterdrückung ist enthalten in der Konzeption der Identitätspolitik.«[130]

Die Identitätspolitik hat seitdem verschiedene Phasen durchlaufen. Die Frauen des Combahee River Kollektivs waren Sozialisten: Sie gingen davon aus, dass eine Veränderung des Systems nicht nur den Kampf gegen Sexismus, Rassismus und Patriarchat, sondern auch den Kampf gegen Ausbeutung verlangt. Nur die Solidarität *aller* Unterdrückten, davon waren die Frauen damals überzeugt, könne die kapitalistische und patriarchalische Gesellschaft überwinden; Fraktionierung und Separierung erschienen ihnen daher kontraproduktiv.

Identitätspolitik heute hat ein teilweise verändertes Profil. Die Benachteiligung von Menschen aufgrund ihrer sozialen Herkunft spielt im aktuellen Identitätsdiskurs nur eine untergeordnete Rolle – dabei zählt auch die soziale Lage, in die man geboren wird, zu den Bedingungen, die man sich nicht aussuchen kann. Und sie hat entscheidenden Einfluss auf das individuelle Schicksal. Neueste Forschungen haben beispielsweise ergeben, dass in Deutschland 46 Prozent von Kindern aus Akademikerhaushalten ein Studium aufnehmen. Bei Kindern aber, deren Eltern maximal einen Hauptschulabschluss haben, trifft dies nur auf knapp neun (!) Prozent zu. Am erfolglosesten sind Jungen, die aus Zuwandererfamilien und zudem aus sozial schwachen Familien stammen.[131]

»Von wem dürfen sich die Ausgebeuteten und Schutzlosen heute vertreten sehen?«, fragte daher der französische Autor Didier Eribon in seinem Bestseller »Rückkehr nach Reims«. Und erläuterte am Beispiel der eigenen Familie, warum sich seine Eltern, die einst die Kommunistische Partei gewählt hatten, später dem rechtsradikalen Front National zuwandten. Als sie nach neuem Sinn für ihre Lebensrealität bei den extrem Rechten suchten, wo man sich wenigstens um sie kümmerte, veränderte sich ihr Selbstverständnis. Aus »denen da unten«, die sich im Gegensatz gesehen hatten zu »denen da oben«, wurden »Franzosen«, die sich gegen »Ausländer« und gegen eine Elite positionierten, die als Befürworter einer Immigration galten, deren Folgen »die da unten« zu tragen hatten. Die Eigenschaft, Franzose zu sein, löste somit das Arbeitersein ab. Das Viertel, in dem »die einfachen Leute« lebten, wurde für ihr Selbstverständnis und ihren Blick auf die Welt wichtiger als der Arbeitsplatz und die Position im sozialen Gefüge. So konnten sie sich als Herren und Besitzer eines Landes fühlen, dessen Anrechte und Möglichkeiten sie nicht mit Fremden teilen wollten.

Eribons selbstkritischer Rückblick deckt nicht nur auf, dass die französische Rechte den Raum besetzte, den die dortige Linke aufgab. Er deckt auch auf, dass Identitätspolitik auf Seiten der Linken die Identitätspolitik auf Seiten der Rechten mobilisiert und stärkt. Ebendas ist auch in den USA geschehen. Als sich die

Demokraten nicht um die existenziellen Fragen der unteren Mittelschicht und der Arbeiter in den Rust-Belt-Regionen kümmerten, als Hillary Clinton, die demokratische Kandidatin zu den Präsidentschaftswahlen, die Arbeitslosen und Abstiegsbedrohten auch noch als »basket of deplorables« (ein Korb voller Bedauernswerter) abqualifizierte, liefen die so Geschmähten in großer Zahl über zu den Republikanern, korrekter: zu Donald Trump, dem das eigentlich Unmögliche gelang, sich zum Vertreter einer bedrängten weißen Arbeiter- und Mittelschicht auszugeben, die es vor weiterer Zuwanderung zu schützen gelte. Die Wählerwanderungen in Frankreich und den USA zeigen auf, dass der sozialen Frage in Zukunft weiter eine wichtige Bedeutung zukommen muss, damit sich Unzufriedenheit nicht Fremdenfeindlichkeit als Ventil sucht.

Welche Identität(en) wollen wir?

Die westlichen Länder sind in den letzten Jahrzehnten wesentlich pluraler geworden. Vielfalt von Menschen und Lebensformen das Straßenbild, das Zusammen- und Arbeitsleben und das Denken der Menschen verändert. Individuen und Kollektive, die zuvor weniger sichtbar, benachteiligt oder gar diskriminiert waren, drängen in die Öffentlichkeit, und sie drängen auf Veränderungen. Ich denke etwa an die Schwulen- und Lesbenbewegung, in jüngster Zeit an Black Lives Matter, #MeToo, aber auch an zahlreiche andere, kleinere Gruppen. Kennzeichnend für sie alle ist, dass sie ihre Identität über Herkunft, Hautfarbe (Race), Sexualität, Religion und insbesondere die Kultur definieren. Dieser Weg zur Emanzipation unterscheidet sich deutlich von den Emanzipationsbewegungen vor 40, 50 Jahren.

Bisher orientieren sich die liberal-demokratischen Gesellschaften des Westens als Leitkultur an den Menschenrechten als den grundlegenden und gleichen Rechten für alle. Doch den Vertretern der Identitätspolitik genügt das nicht. Angesichts der Heterogenität und Vielfalt in den modernen Gesellschaften des Westens erscheinen ihnen Gleichheitskonzepte auf der Basis der universalistischen Vorstellungen der Aufklärung als altmodisch, unzureichend und sogar gefährlich. Universalismus, schrieb der indisch-britische Journalist Kenan Malik, werde in den Augen seiner Gegner »zu einem ›eurozentristischen Standpunkt‹, einem Vehikel, um anderen Völkerschaften euro-amerikanische Vorstellungen von Rationalität und Objektivität aufzuzwingen«.[132] In der augenblicklichen Auseinandersetzung stehen insofern nicht nur Vorstellungen von Teilen der Frauenbewegung und von Minderheiten gegen Vorstellungen der Mehrheit, vielmehr ringen zwei unterschiedliche Konzepte zur Organisierung von Gesellschaft miteinander.

Hatte etwa die Frauenbewegung in Deutschland und hatte Martin Luther King in Amerika noch für eine Gleichberechtigung gekämpft, die den Frauen und Minderheiten dieselben Rechte wie allen anderen zugesteht, so kämpfen Minderheiten heute um die Anerkennung ihrer ganz bestimmten, durch die Vorfahren, die Geschichte, das Schicksal vorgegebenen Identitäten. Für sie steht nicht im Vordergrund, Teil einer Gesellschaft zu werden, die alle Bürger auf gleicher Basis einschließt; primär für sie ist die Anerkennung ihrer je spezifischen sexuellen, ethnischen, religiösen oder kulturellen *Partikular*interessen.

Meine Sorge dabei: Wenn bestimmte selbstgewählte Merkmale als ein nahezu biologisches, unveränderbares Essential kollektiver Identitäten erscheinen, werden tendenziell jene rassischen, ethnischen, religiösen, sexuellen Trennlinien wieder errichtet, deren Existenz die Proteste der Vertreter der Identitätspolitik überhaupt erst ausgelöst haben. Was mir ebenfalls Sorgen bereitet: Wenn akzeptiert werden soll, dass einer jeden kulturellen Gruppe eine Einzigartigkeit zu eigen ist, die ihr die Legitimität zu einem gleichberechtigten Existenzrecht verleiht, dann kann fast nichts mehr zum

Gegenstand legitimer Kritik werden: nicht die Unterdrückung von Frauen, die Verfolgung von Homosexuellen, religiöser Fanatismus. Und wenn der Respekt vor der Kultur und Lebensweise des anderen als oberster Wert gilt, ist dem Werterelativismus Tür und Tor geöffnet. Exemplarisch ließ es sich besichtigen nach den Ereignissen in der Silvesternacht 2015/16 in Köln. Als damals Hunderte von Frauen Opfer sexueller Gewalt von Männern vor allem aus Algerien und Marokko wurden, warnten multikulturalistische Feministinnen davor, die konkreten Täter zu benennen – das schüre Rassismus, hieß es, patriarchalische Strukturen und sexuelle Gewalt existierten auch in deutschen und christlichen Gesellschaften. Die Frauenrechtlerin Alice Schwarzer hingegen sprach von falscher Toleranz gegenüber Männern, die in einem anderen Kulturkreis aufgewachsen seien, und warnte: Die Angst vor dem Rassismusvorwurf dürfe nicht zur Realitätsverleugnung führen.

Sicher nutzt die radikale Rechte Straftaten von Migranten und Menschen aus Einwandererfamilien, um Ausländer, Flüchtlinge, Migranten, Muslime insgesamt als schädlich und unvereinbar mit unserer Gesellschaft zu denunzieren. Das Gegengift kann aber nicht darin bestehen, mit zweierlei Maß zu messen und Migranten und ihren Nachkommen einen Bonus zu gewähren. Wo Straftaten oder diskriminierende Handlungen von Minderheiten begangen werden, unterliegen sie genauso den Regeln und Gesetzen in Deutschland wie alle anderen. Und umgekehrt stehen Migranten die individuellen Freiheits- und Menschenrechte genauso wie allen anderen zu.

Diejenigen, die sich gegen Rassismus und Fremdenfeindlichkeit engagieren, werden nun einwenden, dass die gleichen Rechte Menschen anderer Herkunft, Hautfarbe oder Sexualität keineswegs automatisch vor Diskriminierung schützen, dass Anderssein vielmehr durchgängig im Alltag wie ein Stigma wirkt. Die Journalistin Reni Eddo-Lodge beispielsweise, die als Schwarze in England geboren wurde, beschreibt Schwarzsein geradezu als Fatum, als ein Schicksal, das einen ganzen Lebensweg vorzeichnet, da dunkle Hautfarbe mit »lebenslanger subtiler Marginalisierung und Abstempelung zum Anderen« einhergehe.[133]

Ich übersehe nicht, dass in zahlreichen demokratischen Gesellschaften ein struktureller Rassismus existiert. Es ist offenkundig und statistisch belegt, dass »Weiße« bei Einstellungen oft bevorzugt werden, dass Menschen mit türkisch oder arabisch klingenden Namen in Deutschland seltener zu Vorstellungsgesprächen eingeladen werden. Es ist ebenfalls statistisch belegt, dass Zugewanderte aus muslimischen Ländern in Deutschland öfter arbeitslos sind. Aber ich sträube mich dagegen, die Existenz eines Menschen und erst recht eines Kollektivs über eine einzige Zugehörigkeit zu definieren und davon nahezu den gesamten Lebensweg abhängig zu machen. Kein Mensch ist allein Schwarzer oder Weißer, Muslim oder Christ, Araber oder Europäer. Die Identität eines jeden Menschen enthält verschiedene Anteile, die er mit jeweils anderen teilt. Mit den einen teilt er die Sprache und das Land seines Lebensmittelpunktes, mit anderen den Glauben, die politische Option, die Begeisterung für Sport, die Sorge um das Weltklima, das Interesse an seinem Herkunftsland oder die soziale Lage. Zudem ist Identität nicht etwas, was von Anfang an feststeht. Sie entwickelt sich im Laufe des Lebens. Und das Merkmal, was jeweils dominiert, kann sich ändern.

Wenn wir uns diese verschiedenen Identitäten bewusst machen, sehen wir die Differenzen zu Anderen, aber wir sehen auch die Überschneidungen, die wir mit Anderen haben. Das nimmt den Differenzen ihre Schärfe und ihre Unversöhnlichkeit. Der Schriftsteller Amin Maalouf, der im Libanon geboren wurde und seit 1976 in Frankreich lebt, ist jedenfalls überzeugt: »Sobald man seine Identität als Summe vielfältiger Zugehörigkeiten begreift, von denen einige mit der Geschichte eines Volkes verknüpft sind und andere nicht, einige mit einer religiösen Tradition verknüpft sind und andere nicht, sobald man bei sich selbst [...] diverse Vermischungen, diverse Schnittmengen, unterschwellige und widersprüchliche Einflüsse erkennt, entsteht ein anderes Verhältnis zu den anderen und zum eigenen ›Stamm‹ […] Es gibt fortan auf ›unserer‹ Seite Personen, mit denen ich letztendlich sehr wenig gemein habe, und Personen auf Seiten der ›anderen‹, denen ich mich zutiefst verbunden fühlen kann.«[134]

Ich plädiere in diesem Sinn für einen Blick, der die verschiedenen Facetten von Identität berücksichtigt und aus der Konzentration auf das Partikularinteresse herausführt. Wenn sich das kleine »Wir« nämlich von dem größeren »Wir« trennt, gewinnt es zwar Originalität und Aufmerksamkeit – aber es verliert auch etwas. Niemand ist gänzlich definiert durch eine Identität, deren pauschales Label lautet: weiße Frau, schwarze Frau, Lesbe, Transfrau … Viel umfassender ist eine individuelle Option, die sagt: Ich will keine Sonderrechte, ich will gleiche Rechte wie alle, und das in den verschiedensten Bereichen des Lebens. Dieser Ansatz verbindet eine Person mit Menschen, die sich denselben universalen Prinzipien verpflichtet fühlen. Als beispielsweise die südafrikanischen Schwarzen gegen die Apartheid kämpften, fanden sie Verbündete auch unter Weißen und Angehörigen anderer Ethnien, in ihrem Land und weltweit, Menschen, die anderen Menschen in ihrem Kampf für Menschen- und Bürgerrechte – eben: für universale Rechte – beistehen wollten.

Die Anhänger der Identitätspolitik versuchen oft aber gar nicht, Bündnispartner zu werben. Sie vertiefen umgekehrt die Distanz zwischen Minderheit und Mehrheit, wenn sie beispielsweise erklären, dass es unmöglich sei, dass sich »Privilegierte« in die Lage und die Gefühle von Benachteiligten versetzen. Erfahrung, so heißt es immer wieder, lasse sich kaum teilen. Gemeinsamkeit mit Weißen sei allein schon deshalb nicht vorstellbar – so Reni Eddo-Lodge –, weil Weißsein ein »white Privilege« bedeute, ein besseres Leben aufgrund der Hautfarbe, und darüber hinaus eine strukturelle Macht. Rassismus, sagt Eddo-Lodge nämlich, sei Vorurteil *plus* Macht. Für die schwarze Journalistin können

Schwarze daher keine Rassisten sein, da es »einfach nicht genügend Schwarze in Machtpositionen [gibt], um sich in großem Ausmaß rassistisch gegenüber Weißen zu verhalten, wie es derzeit gegenüber den Schwarzen geschieht«.[135]

An die Stelle des Klassenkampfes von einst tritt so ein »Rassen«kampf, wobei Rasse hier verstanden wird als *race*, die Menschen nicht aufgrund einer genetischen Differenz, sondern aufgrund ihrer Hautfarbe unterscheidet. Auf der einen Seite also die dominanten Weißen, auf der anderen Seite die diskriminierten Schwarzen und People of Color.

Meines Erachtens handelt es sich dabei um eine eindimensionale und undifferenzierte Interpretation von Gegenwart und Geschichte. Rassismus kann auch bei Menschen auftreten, die ihrerseits diskriminiert werden. Im englischen Rotherham etwa haben Angehörige der pakistanisch-britischen Gemeinde jahrelang mindestens 1400 »white british children« sexuell missbraucht. Und mit dem Begriff »Kartoffel« erheben sich etliche »People of Color« über die »naiven und weltfremden Deutschen ohne Werte, ohne Haltung, ohne Ehre.«[136]

Ich nehme an, dass Reni Eddo-Lodge in solchen Argumenten wohl ein Ausweichmanöver sehen würde, da sie nichts an der Tatsache des strukturellen Rassismus in demokratischen Staaten heute ändern. Ich müsste ihr insofern recht geben, weil das eine das andere nicht entschuldigen kann. Doch ich könnte darauf verweisen, dass, wer die »Unsrigen« bedingungslos verteidigt, fast automatisch »die Anderen« dazu verführt, die Gegenrechnung aufzumachen, weil sie sich nicht nur zu Recht, sondern auch zu Unrecht angegriffen fühlen: Ja, ich möchte tatsächlich klarstellen, dass ich einer Interpretation, die die Wirklichkeit auf den Rassismus von Weißen gegenüber Nichtweißen reduziert, nicht zustimme, denn bewusst oder unbewusst werden unter Umständen noch gewaltsamere Methoden zur Unterdrückung von Anderen ignoriert oder verharmlost.

Wenn in den »bloodlands« von Kommunisten und Nazis Millionen Opfer umkamen, wenn in Afrika, Asien und Lateinamerika Menschenkinder entrechtet, gefoltert und getötet werden, wenn Unrecht weiterhin in vielen Ländern Staatspraxis ist, wenn weltweit denen das Recht vorenthalten wird, die es am nötigsten brauchen, den unterdrückten, ausgebeuteten, verfolgten Kindern, Frauen und Männern, dann sollte mehr als klar sein, dass es einen zentralen Widerspruch gibt: den Widerspruch zwischen oben und unten, zwischen knechtend und entrechtet, zwischen Macht und Ohnmacht.

Wer allein »die Weißen« zu Unterdrückern und Kolonisatoren erklärt, unterschätzt oder verschweigt die Farbenvielfalt, in der Ausbeutung, Rassismus und Unterdrückung auftreten können. Diese existierten und existieren nicht nur in westlichen, »weißen« Gesellschaften, sondern auch auf arabischem, chinesischem, zentralasiatischem, nordkoreanischem, pakistanischem, vietnamesischem Boden. Aufzählung unvollständig. Ich empfinde es daher als selektiv und fahrlässig, diese Farbenvielfalt von Unterdrückung, Diskriminierung und Ausbeutung von Millionen Menschen weltweit nicht angemessen wahrzunehmen.

Und noch etwas: Wer autoritäre Herrschaft in Ländern Südamerikas, Afrikas oder des Nahen Osten allein zur Spätfolge imperialer und kolonialer Politik des »weißen Mannes« erklärt, enthebt nicht nur die Repräsentanten von Unrechtssystemen ihrer Verantwortung, er lässt auch die Unterdrückten im Stich. Er schwächt den Widerstand derjenigen, die den Mut haben, sich der Macht der Unterdrücker zu widersetzen. Wir dürfen den Impuls, weltweit solidarisch zu sein, nicht dadurch schwächen, dass der Hauptwiderspruch hinter den Nebenwidersprüchen verschwindet und neben den Partikularinteressen kaum noch etwas ins Gesichtsfeld rückt. Es fällt schon auf, dass #MeToo-Frauen, wenn sie gegen Sexismus in ihren westlichen Ländern kämpfen, ein riesiges Medienecho haben, hingegen jene Initiativen viel geringere Beachtung finden, die Genitalverstümmelungen, die Entrechtung der Frauen in den islamischen Ländern oder die Versklavung von Frauen anprangern, die als Kriegsbeute betrachtet werden.

Ich kann es nicht Toleranz nennen, wenn westliche Intellektuelle aus Respekt vor anderen Kulturen den aufklärerischen und universellen Orientierungsrahmen der Menschenrechte aufgeben. Wer aufgrund von Defiziten und Mängeln in westlichen Gesellschaften das Vertrauen in die emanzipatorische Kraft des Universalismus der Aufklärung verloren hat, möge wenigstens gelegentlich die Defizite und Mängel anderer Systeme zur Kenntnis nehmen. Wer im Modus des Vergleichens denkt, gelangt vielleicht damit zu der Bereitschaft, dass zu verteidigen ist, was durch die Kämpfe früherer Demokraten errungen worden ist.

Wenn Partikularismus die Oberhand gewinnt

Wenn das Partikulare dominant wird, findet eine Verschiebung zum Subjektiven statt. Mitreden darf nur, wer betroffen ist. Und wer betroffen ist, hat recht. Diese Subjektivität hat den Charakter einer Exklusivität, die nicht als eine Begrenzung empfunden wird, auch gar nicht möglichst schnell überwunden werden sollte, sondern als Ausdruck einer besonderen Empfindsamkeit, einer moralischen Überlegenheit und als positives Alleinstellungsmerkmal gilt. Differenz wird als das besonders zu Exponierende sogar unterstrichen. Der amerikanische Politikwissenschaftler Mark Lilla sprach in diesem Zusammenhang von einem »Narzissmus« der Identitätsbewegten.

Wenn partikulare Forderungen und Werte jedoch derart in Stellung gebracht werden, dann wird Gesellschaft unnötigerweise parzelliert. Dann treiben verschiedene Gruppen nebeneinander her oder auch gegeneinander. Dann wird nach einer Gemeinschaft stiftenden Identifikationsgrundlage gar nicht mehr gesucht. Gesellschaft ist aber mehr als eine Ansammlung unterschiedlicher

Gemeinschaften. Auch daher haben wir an den universellen Werten als der gemeinsamen Basis für alle festzuhalten: damit die vielen Gemeinschaften eine zusammenhängende Gesellschaft bleiben und nicht eingepfercht bleiben in das »Getto ihrer Partikularität«.[137]

Problematisch in diesem Zusammenhang erscheint mir auch das Bemühen, einen kulturellen Separatismus durchzusetzen, der schon zu verhindern trachtet, dass Empathie und Solidarität zwischen Minderheit und Mehrheit, zwischen Benachteiligten und »Privilegierten«, zwischen Christen und Muslimen, Schwarzen und Weißen, Einheimischen und Fremden überhaupt entstehen. Ich denke an einen spektakulären Fall 2017 im Whitney Museum in New York. Damals war das Gemälde »Offener Sarg« der Malerin Dana Schulz ausgestellt, das die verstümmelte Leiche eines afroamerikanischen Jugendlichen zeigt, der 1955 einem Lynchmord zum Opfer gefallen war. Für mich handelt es sich um ein Bild, das Anklage und Anteilnahme gleichermaßen ausdrückt und dem Betrachter signalisiert: Die Künstlerin steht auf der Seite des Opfers. Es sei inakzeptabel, hieß es hingegen in einem von 30 Kunstschaffenden unterzeichneten offenen Brief der britischen Feministin und Künstlerin Hannah Black, »dass ein weißer Mensch das schwarze Leid in Profit und Spaß verwandelt«. Für mich eine erschreckende Reaktion. Wenn Identitätspolitik die Segregation so weit treibt, dass sogar das Mitgefühl zurückgewiesen wird, erstickt eine der kostbarsten Möglichkeiten menschlicher Existenz, die dem Menschen universell zu eigen ist.

Inzwischen ist sogar wissenschaftlich nachgewiesen, dass unser Gehirn so ausgestattet ist, dass wir das, was wir an anderen beobachten, intuitiv nachahmen oder automatisch nachempfinden. Wir müssen uns nicht einmal in derselben Situation, nicht im selben Land und nicht im selben Kulturraum befinden, um Anteilnahme zu entwickeln, wenn Menschen unter Apartheid leiden wie einst in Südafrika oder politisch verfolgt sind wie der Blogger Raif

Badawi in Saudi-Arabien. Wir sind emotional berührbar, auch wenn wir ein Buch eines türkischen Autors lesen oder einen Film eines chinesischen Regisseurs sehen. Und ich war beispielsweise berührt, als ich das Buch der nigerianischen Schriftstellerin Chimamanda Ngozi Adichie »Americanah« gelesen habe: eine Darstellung über alltäglichen Rassismus und die Rassenhierarchie in den Vereinigten Staaten, wie ich sie so subtil, mit dieser scharfsinnigen Beobachtungsgabe und in dieser klaren, völlig unprätentiösen Sprache niemals zuvor gelesen hatte.[138]

Selbstverständlich werde ich nie die Gefühle der Autorin teilen, aber ihre Darstellung hat mir doch immerhin erlaubt, mich ihr annähern, mich ihr nah fühlen zu können. Denn trotz der großen Unterschiede zwischen einem alten weißen Mann und einer jungen schwarzen Afrikanerin, und trotz der ideologischen Prämisse, dass es angeblich keine Gemeinsamkeit zwischen unterschiedlichen Identitäten wie schwarz und weiß geben kann, weiß ich aufgrund eigenen Erlebens, dass uns Menschen ein seelisches Grundvermögen eint, das Einfühlung ermöglicht. Empathie verbindet uns als *Menschen*. Und sie lässt uns näher an den »fremden« Nachbarn in der Wohnung gegenüber rücken.

Derart horizontale Verbindungen zwischen Individuen und gesellschaftlichen Gruppen scheinen bei Identitätsbewegten allerdings wenig erwünscht und wenig ausgeprägt. Identitätsbewegte treten zu anderen identitären Gruppen vielmehr nicht selten in Konkurrenz. Und gleichgültig, ob ausgesprochen oder nicht: Identitätspolitik kennt eine Hierarchie der Opfer. Danach rangiert der Schwarze auf der untersten Stufe der »Nichtweißen«. Die Weißen sind zwar alle privilegiert, aber auch die weiße Frau untersteht dem Diktat des »alten weißen Mannes«, der inzwischen zum Feindbild schlechthin erkoren wurde – die Karikatur eines omnipotenten Hegemon. »Die Welt unterteilt sich in zwei Gruppen«, erklärte eine junge deutsche Journalistin. »Diese zwei Gruppen sind aber nicht Mann und Frau. Diese zwei Gruppen sind weißer,

163

gesunder, christlicher, wohlhabender Mann, der die Erzählungen schreibt, den Kuchen backt und uns die Welt erklärt. Die zweite Gruppe sind alle anderen.«[139] Inzwischen hat die Journalistin ihr Urteil zwar etwas relativiert und verurteilt nur noch jenen weißen Mann, der mit einem Gefühl der Überlegenheit und der Blindheit für seine Privilegien auftritt. Doch das Klischee vom »alten weißen Mann« als dem vom Schicksal in jeder Hinsicht begünstigten Menschen hat sich längst in Feuilletons und Seminaren festgesetzt.

War nach marxistischem Verständnis die Kategorie der Klasse relevant, der »weiße Mann« also nicht generell, sondern nur in seiner Ausbeuterfunktion Verursacher von Entfremdung und Ungerechtigkeit, macht das neue Narrativ nun unter völligem Verzicht auf jedwede historische und soziale Einordnung eine homogene rassische *communio* verantwortlich für die Machtverhältnisse in der Welt. Das Patriarchat mit dem weißen, heterosexuellen, die Norm verkörpernden und die Norm setzenden Mann ist danach schuld, dass alle Menschen – außer den weißen, heterosexuellen Männern selbst – daran gehindert werden, ihrer spezifischen Kultur, ihrer ganz eigenen sexuellen und kulturellen Identität Ausdruck zu verleihen.

Alles, was mit europäischer, also weißer Geschichte verbunden ist, steht damit im Verdacht, rassistisch, sexistisch, imperialistisch oder militaristisch zu sein. Immanuel Kant und andere Klassiker der Philosophie wurden an der Berliner Humboldt-Universität bereits zum Angriffsziel, weil sie angeblich »aus einer eurozentristischen weißen Perspektive rassistische Ansichten« verbreiteten. In einer verzerrten Wahrnehmung von Geschichte sind Kolonialismus und Imperialismus zum bevorzugten Angriffspunkt geworden.

Dabei können Frauen- und Minderheitenrechte heute nicht zuletzt deswegen so vehement eingefordert werden, weil die Geschichte der Menschheit auch eine Geschichte menschlicher Emanzipation ist. Immanuel Kant hat das Individuum zur Selbstermächtigung aufgefordert, Wilhelm von Humboldt hat für die vollständige Gleichberechtigung der Juden und August Bebel für die Durchsetzung des Frauenwahlrechts gekämpft – um nur einige Beispiele zu nennen. Es waren solche Denker und Politiker, Männer (!), die sich als Aufklärer große Verdienste in der Emanzipationsgeschichte der Menschen (und damit aller) erworben haben.

Für mich ist es unverständlich, wie eine Ideologie, die ihre Zentren an den Universitäten hat, derart eklektisch und unhistorisch vorgehen kann. Wie sich Menschen das Recht anmaßen können, über die gesamte Vergangenheit mit den Kategorien von heute zu urteilen, und glauben können, die Welt ließe sich mit simplen manichäischen Auffassungen erklären. Statt auf erhellende Einsichten stoßen wir hier auf eine neue Spielart von Verschlossenheit und Intoleranz.

Die Rolle als Opfer: identitätsstiftend?

Die Feministinnen der 1960er und 1970er Jahre wollten keine Opfer sein. Selbstbewusst erklärten sie, dass nicht Ehemänner, Chefs, Ärzte, Theologen oder Richter darüber zu entscheiden hätten, wie sie leben, lieben und aussehen wollten. Sie beanspruchten gleiche Rechte, griffen aktiv in die politischen Auseinandersetzungen ein und richteten autonome Verlage, Buchhandlungen, Frauenhäuser und Gesundheitszentren ein. Opfer, das waren Menschen, denen etwas außeralltägliches Schweres zugestoßen war: ein Schwerverbrechen, ein großer Betrug oder eine politische Verfolgung.

Das Verständnis von Opfer heute hat sich vollständig gewandelt. Das Opfer von heute ist Leidtragender ganz alltäglicher Erfahrungen in einer ungerechten Gesellschaft, von psychischen Verletzungen, Kränkungen und sogenannten Mikroaggressionen jeder Art. Das Opfer von heute rebelliert auch nicht unbedingt gegen Autoritäten und gegen restriktive Regelungen; es wendet sich umgekehrt an Autoritäten, um sie zu seinem Schutz zur Anwendung restriktiver Regelungen zu verpflichten. Das Opfer von heute will nicht mehr Meinungsfreiheit, sondern mehr Begrenzung für Meinungen und Ideen, die es missbilligt und fürchtet. Es will nicht mehr Freiheit, sondern mehr Fürsorge. An den amerikanischen Unis, so befindet der amerikanische Psychologieprofessor Jonathan Haidt, herrsche eine *victimhood culture*, die den Opferstatus geradezu zelebriere. Danach sind fast alle traumatisiert und bedürfen staatlicher Betreuung.

Die Sensibilität der Menschen ist stark gewachsen. Je mehr Rechte die Bürger erhielten und sie im Unterschied etwa zur Standesgesellschaft auch geltend machen und in Anspruch nehmen konnten, desto stärker sind ihnen kleine und kleinste Differenzen bewusst geworden. Es klingt paradox, ist aber offenkundig: Der tatsächliche Erfolg des liberalen Gesellschaftsmodells hat eine forcierte Konzentration auf seine Defizite und Mängel hervorgebracht. Gleichzeitig haben Selbstverwirklichung und Wohlstand aber auch Übersensibilität und Narzissmus gefördert. Studenten erwarten in den USA, dass die Universitäten *safe spaces* sind, geschützte Orte, an denen sie Zuflucht finden nicht nur vor physischer, sondern auch psychischer Gewalt. Professoren, Beauftragte, Universitätsleitungen sollen sie vor Kränkungen schützen und ihrer Verletztheit Öffentlichkeit verschaffen. Eine Differenzierung nach schwereren oder eher trivialen Fällen von Kränkungen oder Diskriminierungen unterbleibt dabei, weil allein die subjektive Wahrnehmung des Opfers zählt und schon Mikroaggressionen als eine Form der Unterdrückung und Verletzung akzeptiert werden. Als Konsequenz entstanden die Triggerwarnungen. Bevor Texte, Bilder, Filme in den Lehrbetrieb kommen, werden sie auf Wörter oder Szenen durchsucht, die bei Lesern und Zuschauern eine traumatische Erfahrung aufleben lassen könnten. Auf diese Weise kann sich fast jeder zum potenziellen Opfer erklären, die Opferrolle selbst hat sich zu einer »wichtigen kulturellen Quelle für Identitätskonstruktion« entwickelt.[140] Eine Kränkungsmöglichkeit auf ihren realen Kern hin zu hinterfragen, ist nicht vorgesehen, denn das subjektive Empfinden lässt sich mit keiner objektiven Latte messen. Kritik daran zu üben, wird mithin zu einem unmoralischen Angriff auf eine diskriminierte, verletzte, beschädigte Person. Die Folgen sind (Selbst-)Zensur bei den einen und Intoleranz bei den anderen.

An deutschen Universitäten herrschen zwar keine Zustände wie in den USA, aber auch hier ist besonders an einigen Studiengängen schon eine intolerante Moral der »Guten und Korrekten« eingezogen. Große Medienaufmerksamkeit erregte ein Vorfall an der Berliner Alice Salomon Hochschule, wo der ASTA nach sechs Jahren plötzlich verlangte, ein Gedicht des Lyrikers Eugen Gomringer an einer repräsentativen Außenfassade der Hochschule zu tilgen. In spanischer Sprache war dort von Alleen, Blumen und Frauen die Rede – und von einem Bewunderer all dessen. Dieses Gedicht reproduziere »nicht nur eine klassische patriarchale Kunsttradition, in der Frauen* ausschließlich die schönen Musen sind, die männliche Künstler zu kreativen Taten inspirieren«, erklärte der ASTA. »Es erinnert zudem unangenehm an sexuelle Belästigung, der Frauen* alltäglich ausgesetzt sind.«[141] Ein Teil der Studentinnen und Studenten empfand das Gedicht subjektiv als übergriffig und herabsetzend und führte als Beweis sein »komisches Bauchgefühl« an. Der Antrag, das Gedicht zu übermalen, setzte sich durch – im Sommer 2018 wurde es ersetzt.

Politisch wesentlich relevanter war da der Streit um die Mohammed-Karikaturen von Kurt Westergaard, dem dänischen Karikaturisten, der wegen dieser Zeichnungen Morddrohungen erhalten und ein Attentat überlebt hatte. Als Westergaard 2010 in Potsdam einen Preis erhielt, habe ich sofort zugesagt, eine Laudatio auf ihn zu halten. Dabei gefielen mir seine Karikaturen ebenso wenig wie später die Karikaturen der französischen Satirezeitschrift *Charlie Hebdo*, die für Islamisten den Vorwand zu einem Massaker lieferten. Aber für mich war die Laudatio ein Bekenntnis zur

Meinungsfreiheit und zur Freiheit der Kunst, und damit zur offenen Gesellschaft. Ich möchte zu dieser Haltung stehen, obwohl mir bewusst ist, dass sich viele Muslime durch die Karikaturen gekränkt fühlten. Aber Kränkungen lassen sich in einer pluralen, offenen Gesellschaft niemals gänzlich vermeiden. Und es wäre fatal, wenn wir es akzeptierten, dass Grundfreiheiten zur Vermeidung von Kränkungen außer Kraft gesetzt würden und Islamisten mit Gekränktheit ihren Mord und Terror legitimieren könnten.

Es mag zwar sehr ehrenwert klingen, wenn Menschen eine Gesellschaft anstreben, in der sich eine generelle Kränkungsverschonung durchsetzen ließe. Ich fürchte allerdings, eine derartige Gesellschaft ist nicht nur gänzlich unrealisierbar, wir gerieten auch schnell in eine Erziehungsdiktatur. Denn zur Verhinderung von Kränkung und Beschämung griffe man zunehmend zu Verbot und Verurteilung. Aus einer derartigen Dynamik aber kann – für beide Seiten – niemals eine wirkliche Emanzipation hervorgehen. Wir würden Menschen schaffen, die einerseits Selbstzensur üben, weil sie Angst haben müssten, wenn sie in der öffentlichen Diskussion nicht dem Leitdiskurs folgen. Während die anderen auf ihre Verletzungen konzentriert blieben, statt dass sie lernen, ihren Selbstwert zu stärken.

Derjenige, der sich viktimisiert und viktimisieren lässt, macht sich übermäßig abhängig von der Anerkennung seiner Umgebung. Selbstverständlich muss eine Gesellschaft Diskriminierten Hilfe zukommen lassen und Ungleichheiten abbauen. Und es ist gut, dass in liberalen Demokratien Antidiskriminierungsgesetze existieren. Aber noch wesentlicher ist und bleibt für mich, dass jeder Mensch die Möglichkeit erhält, Selbstbewusstsein zu entwickeln, damit das, was einen Menschen kränkt und beleidigt und nie gänzlich aus der Welt zu schaffen sein wird, möglichst wenig Macht über ihn gewinnt.

Als Beispiel erinnere ich an die Entwicklung des Begriffs »Schwule«. Lange ausschließlich pejorativ verwendet, hat sich

seine Bedeutung verwandelt. Indem die Community der Homosexuellen sich über die Kränkung hinwegsetzte, die mit dem Begriff verbunden und gemeint war, entwendete sie den Kränkenden
ihre Waffe. Sie tauschte die Rolle des gekränkten Opfers ein gegen
die der selbstbewussten und souveränen Individuen und besetzte
den Begriff positiv, so dass er heute seinen diffamierenden Charakter im öffentlichen Sprachgebrauch weitgehend verloren hat: ein
gutes Beispiel dafür, wie der Einzelne sich seiner Würde und seiner Gestaltungsmöglichkeiten bewusst oder wieder bewusst werden und sich so einen Raum von Freiheit eröffnen kann, der zuvor
unerreichbar schien.

Die Gesellschaft muss sich allerdings auch fragen, ob die Selbst-
viktimisierung durch einen zeitgeistkonformen Erziehungsstil
nicht gefördert wird. Nicht nur die USA kennen Eltern, die *over-
protectively* agieren. Jonathan Haidt erinnert in seinem neuesten
Buch mit aktuellen Befunden daher an das, was Generationen vor
uns bereits einmal wussten und was eigentlich zum Grundwis-
sen der Psychologie gehört: Wenn Kinder, Schüler und Studenten nicht gefordert werden, können sie keine Abwehrkräfte entwickeln.[142] Menschen werden nicht resistenter, widerstandsfähiger,
selbstbewusster, wenn sie vor unangenehmen, belastenden Situationen geschützt werden, sondern wenn sie lernen, mit Zumutungen umzugehen und Situationen aktiv zu verändern. Es sollte, so
Haidt, nicht Aufgabe der Universität sein, die »korrekten« Ansichten ständig zu bekräftigen, die Angst vor Anfechtungen zu schü-
ren und die Studenten wie eine übervorsichtige Mutter vor Unan-
genehmem zu schützen. Aufgabe der Universität sei es nämlich,
Menschen mit ihrem Unwissen und ihrer Unsicherheit zu kon-
frontieren, sie frei recherchieren und Falsches von Richtigem unterscheiden zu lehren. Er sei Jude, erklärte Haidt in einem Interview, aber er möchte, dass seine Kinder Hitlers »Mein Kampf«
lesen. Nur wenn Menschen sich nämlich einerseits frei fühlten, das
zu sagen, was sie denken, andererseits aber stark genug seien, die

Meinung von anderen kritisch zu hinterfragen, könne eine demokratische Gemeinschaft entstehen.[143]

Abgesehen davon, dass ich meinen Kindern und Enkeln »Mein
Kampf« nicht empfehlen möchte, verstehe ich sowohl den Ansatz als auch die Energie, mit der Jonathan Haidt, Mark Lilla und
auch der amerikanische Politikwissenschaftler Francis Fukuyama
in Sorge um das Gemeinwohl und den gesellschaftlichen Grund-
konsens in die Debatte eingreifen. »Selbstentfaltung und Selbstfin-
dung reichen nicht aus, um die Welt zu verändern«, hat Mark Lilla
nach dem Wahlsieg von Donald Trump in den Vereinigten Staaten gewarnt. Denn der gesellschaftliche Zusammenhalt steht auf
dem Spiel, wenn Gruppen oder Individuen auf die eigene Identität fixiert sind und sich um sich selbst drehen, wenn sie sich nicht
selbst ermächtigen und keine Verantwortung für das Ganze übernehmen. Und wenn sich, da Linke und Rechte nun nach ähnlichen Mustern agieren, die gesellschaftlichen Spaltungen immer
mehr vertiefen. »Nationale Politik«, darauf verwies Mark Lilla zu
recht, »dreht sich in gesunden Zeiten nicht um ›Differenz‹, sondern um Gemeinsamkeiten«.[144]

Es ist meine Sorge um den Verlust dieser mühsam erworbenen Gemeinsamkeiten, die mich bewogen hat, Anhänger der Identitätspolitik zu kritisieren, Menschen, mit denen ich wegen ihres
Engagements und ihres Einsatzes gegen Ungerechtigkeit doch eigentlich verbündet bin. Eine politische Korrektheit, die sich für
Gleichberechtigung und respektvolles Verhalten allen gegenüber
einsetzt, ist ein Kind unserer Zivilisation. Bevor dieser Begriff existierte, haben Männer und Frauen in langen Zeiträumen dafür geworben, Solidarität jenen gegenüber zu entwickeln, die ihrer besonders bedurften. Sie haben aus Nächstenliebe gehandelt oder aus
der humanen und politischen Einsicht heraus, dass ohne eine Solidarität, die alle Menschen eines gegebenen Kollektivs oder eines
gegebenen Gebietes einschließt, kein Frieden, keine Gerechtigkeit,

keine Humanität existieren könne. Was sich im Prozess der Zivilisation entwickelt und zu unserem demokratischen Gemeinwesen geführt hat, darf sich nicht auflösen in lauter Segmente, deren postmoderne Vorkämpfer den Bezug auf das Ganze aufgegeben haben. Wir sollten uns auch in diesem Fall bewusst machen, dass Gutgemeintes beides schwächt: die Gesellschaft und das Individuum. Gerade in Zeiten, in denen Intoleranz und Illiberalität neue Erfolge feiern, kann das Humanum nicht geschützt und bewahrt werden ohne Bezug auf eine Gemeinsamkeit, die alle meint, bindet und zu verantwortungsvollem Handeln verpflichtet.

Offenheit und Wertebewusstsein: Toleranz in der Einwanderungsgesellschaft

Das Leben in einem Einwanderungsland konnte ich erst nach der Wiedervereinigung erlernen, als ich bereits 50 Jahre alt war. In der DDR gab es zwar auch sogenannte Vertragsarbeiter, die meisten kamen in den 1980er Jahren aus Vietnam. Doch diese billigen Arbeitskräfte waren gesondert untergebracht, Kontakte mit den Einheimischen waren nicht erwünscht, und wo sie dennoch stattfanden, mussten sie gemeldet werden. Ausländische Arbeitskräfte machten außerdem nur etwa ein Prozent der Bevölkerung aus – sie spielten in meinem Leben und dem Leben der meisten DDR-Bürger faktisch keine Rolle. Nur die wenigsten Menschen konnten Toleranz gegenüber Ausländern einüben.

Als ich dann 1990 aus meiner Heimatstadt Rostock nach Berlin zog, weil ich Parlamentsabgeordneter und danach Bundesbeauftragter für die Stasi-Unterlagen wurde, änderte sich die Situation schlagartig. Überall stieß ich nun auf Zugewanderte. Der Imbiss an der Ecke wurde von einem Türkeistämmigen betrieben, die Restaurants gegenüber von Menschen aus Kroatien, Italien und China. Die Apothekerin stammte aus dem Iran, und den Blumenladen an der U-Bahn-Station übernahm später ein Vietnamese. Der Osten war grau gewesen, der Westen war bunt, nicht zuletzt durch die Zugewanderten. Ich fremdelte zwar zunächst noch, mein norddeutsch geprägter Geschmack musste sich wie mein Gemüt erst an all das Neue gewöhnen, doch Freiheit hieß seitdem für mich auch Vielfalt.

Zur gleichen Zeit fand allerdings eine heftige Debatte über die deutsche Asylpolitik statt. Denn als in Europa der Eiserne Vorhang fiel, stieg der Zuzug nach Deutschland sprunghaft an, und die Asylanträge schnellten in die Höhe, 1992 auf fast 440 000, darunter viele Anträge von Menschen aus dem Bürgerkriegsland Ex-Jugoslawien und viele von Roma aus Rumänien.[145] 80 Prozent der Deutschen erachteten das Flüchtlingsthema 1991 als wichtigstes Thema, es rangierte noch vor der Wiedervereinigung.[146] Der Ton war rau, Zeitungen mit Millionenauflagen sprachen von »Scheinasylanten« oder auch »Asylschmarotzern«, woanders war von einer »Asylantenschwemme« und »Asylantenflut« die Rede, auch von »Strömen von Fremden«, die »in das Land schwappen«.[147]

Mir hat sich diese Zeit in der Erinnerung eingebrannt, denn ich fühlte mich direkt betroffen. Es gab Ausschreitungen in Hoyerswerda, Überfälle in Ueckermünde, Zittau, Spremberg, den Mordanschlag von Mölln, Brandanschläge in Solingen, Freital, Saarlouis, Chemnitz. Und es gab die Ausschreitungen in Rostock-Lichtenhagen, die größten rassistischen Übergriffe in Deutschland seit dem Nationalsozialismus. Als die Angriffe auf die Aufnahmestelle für Flüchtlinge erstmals gemeldet wurden, schreckte ich zusammen. Mehrere Jahrzehnte lang hatte ich als Pastor in einem Stadtteil gearbeitet, der nur drei Kilometer entfernt von Lichtenhagen liegt, in einem fast identischen Neubaugebiet mit einer fast identischen Bevölkerung. Wie hatte es so weit kommen können, dass Hunderte ganz »normale« Bürger applaudierten, als Rechtsextreme, die teilweise aus dem gesamten Bundesgebiet angereist waren, gewaltsam ihre Ressentiments gegen Asylbewerber und vietnamesische Vertragsarbeiter ausagierten, als sie Feuer legten und den Tod von Menschen billigend in Kauf nahmen? Wie hatte es dazu kommen können, dass die Polizei erst nach Tagen Herr der Lage wurde? Dass der Staat versagte?

Fremdenfeindlichkeit verschwindet nicht

Die Ausschreitungen 1992/93 haben mich schmerzhaft an etwas erinnert, was wir in friedlicheren Zeiten meist verdrängen: Fremdenfeindlichkeit ist ein Phänomen, das sowohl in der archaischen Gesellschaft wie der Moderne existiert und die Menschheit immer begleitet hat. Gruppenegoismus und Fremdenhass, so auch Hans Magnus Enzensberger in seinem Essay »Die große Wanderung«, seien »anthropologische Konstanten, die jeder Begründung vorausgehen«.[148] In den Vereinigten Staaten bezeichneten sich die Apachen beispielsweise selber als *indeh,* »das Volk«, und alle anderen als *indah,* »Feind«.[149] Und für die Griechen war jeder Nichtgrieche »bárbaros«, was ursprünglich stammelnd, lallend meint, aber auch ungebildet, roh und gewalttätig einschließt.[150]

Fremde sind das Fehlen von Klarheit, man kann nicht sicher sein, was sie tun werden, wie sie auf die eigenen Handlungen reagieren würden; man kann nicht sagen, ob sie Freunde oder Feinde sind, und daher wird man ihnen in der Regel mit Argwohn begegnen.[151] Fremde lösen Misstrauen und Verunsicherung aus – eben Be-«fremden«. Die meisten Menschen suchen ihre Nähe nicht, sondern sie meiden sie. Fremde müssen erst beobachtet und überprüft werden, bevor sie von Einheimischen angenommen oder auch umgekehrt abgelehnt und ausgegrenzt werden.

Es gibt mithin keinen »Anderen«, der von vornherein auf Zustimmung stößt und nur als Bereicherung empfunden wird. Jede Begegnung mit einem »Fremden« und jede Zuwanderung führt auch zu Spannungen, Auseinandersetzungen, manchmal auch zu Kämpfen. Mochte beispielsweise der reformierte Kurfürst Friedrich Wilhelm den Hugenotten, die gegen Ende des 17. Jahrhunderts aus Frankreich flohen, auch Privilegien gewähren, so wehrte sich die Berliner Bevölkerung gegen diese ungeliebten Konkurrenten auf dem Wohnungsmarkt und im Berufsleben, zudem waren sie ihnen fremd wegen ihrer Sprache und Religion. Und die Polen, die Ende des 19. Jahrhunderts ins Ruhrgebiet einwanderten, stießen bei deutschen Arbeitern auf Ablehnung, weil sie den Lohn drückten und sich als Streikbrecher einsetzen ließen; der FC Schalke 04 wurde damals verächtlich als »Polackenverein« beschimpft.

Das Befremden gegenüber dem Fremden äußert sich aber keineswegs nur in Bezug auf Menschen anderer Ethnien. Menschen müssen nicht einmal eine andere Sprache sprechen oder eine andere Hautfarbe haben, um zu Fremden erklärt zu werden. In seiner Studie über »Etablierte und Außenseiter« in einem Ort nahe London schildert der Soziologe Norbert Elias, dass die Bewohner des einen Stadtteils privat so gut wie nichts mit den Bewohnern des anderen Stadtteils zu tun hatten, obwohl beide zur selben Klasse und zur selben Nation gehörten. Entscheidend war, dass die einen bereits seit mehreren Generationen am Ort lebten, die anderen hingegen erst vor kurzem hinzugezogen waren. Die Alteingesessenen wollten sich in ihrer über Generationen entwickelten Lebensweise und in ihrem Normenkanon nicht verunsichern lassen. Und da sie als Etablierte über die Macht verfügten, trieben sie die Neuen in die Distanz und die Stigmatisierung.[152] Dasselbe Phänomen ließ sich in Deutschland unmittelbar nach dem Zweiten Weltkrieg beobachten. Die Flüchtlinge und Vertriebenen aus den ehemaligen deutschen Ostgebieten, der Tschechoslowakei oder Jugoslawien wurden trotz offizieller Integrationsbemühungen noch jahrelang ausgegrenzt, gemieden und als »Gesindel«, »Polacken« oder »Zigeuner« denunziert. Dabei waren auch sie alle Deutsche. Selbst nach dem Freudenfest der Wiedervereinigung fanden sich nach der »Wir-sind-ein-Volk«-Euphorie alsbald Begriffe und Stereotype, in denen sich »Ossis« und »Wessis« voneinander abgrenzten und so Gefühlen von Fremdheit Raum gaben – ein Mechanismus, der sich aufgrund der Pegida-Bewegung in den letzten Jahren wiederholte.

Hierzu noch einmal Norbert Elias. Er machte nämlich noch eine weitere wichtige Beobachtung: Die »Etablierten« neigten dazu, die negativen Eigenschaften der eigenen Gruppe pauschal auf die Außenseitergruppe zu projizieren – das Schlechte also aus dem Eigenen hinaus zu verlagern – , und gleichzeitig die guten Eigenschaften einzelner Mitglieder der gesamten eigenen Gruppe zuzuschreiben – sich also quasi selbst zu adeln. Das Eigene wird so idealisiert, das Fremde entwertet.[153] Im Ergebnis ist die Welt aufgeteilt zwischen den Guten, die zu »uns«, und den Bösen, die zu »den anderen« gehörten.

Wer als »der Fremde« ausgemacht wird, hängt also von den Umständen ab. Für meine protestantischen Vorfahren war es beispielsweise klar, dass »der Katholik an sich« falsch ist, eine Mischehe kam vielerorts nicht infrage. Und in DDR-Zeiten positionierten sich viele Mecklenburger und Berliner gegen die Sachsen – nicht nur weil SED-Parteichef Walter Ulbricht von dort stammte, sondern weil sich die Sachsen aufgrund von Dialekt und wohl auch aufgrund ihres Selbstbewusstseins und ihrer Erfolge hervorragend als Objekt für neiderfüllte Abwehrmechanismen eigneten. In zugespitzten Situationen, etwa wenn eine Bevölkerung besonders gekränkt ist (wie in Deutschland nach dem Versailler Vertrag 1919) oder wenn sie von sozialem Abstieg bedroht ist (wie nach der Weltwirtschaftskrise 1929), kann die Abwertung des anderen sogar eine zerstörerische Stoßrichtung erhalten. Den Extremfall stellt der Nationalsozialismus dar, dem es gelungen ist, fast die gesamte jüdische Bevölkerung Europas und Teile der angeblich minderwertigen Slawen zu vernichten. Infolge einer ähnlichen Entmenschlichung des »Anderen« kam es 1915 unter Weltkriegsbedingungen zum Völkermord an den Armeniern und in jüngster Zeit in Afrika zum Völkermord in Ruanda.

Wenn wir den Umgang einer Gesellschaft mit dem Fremden betrachten, haben wir insofern nicht nur nach der Prägung des Fremden zu fragen, sondern auch nach der Beschaffenheit der Gesellschaft, die diesen Fremden nötig hat – und nach der An- oder Abwesenheit von Toleranz.

Wie viel Zuwanderung nützt unserem Land?

Wie mit dem »Anderen« umzugehen ist, hat heute, im Zeitalter weltweiter Migration eine starke Aktualität erhalten. Der Push-Faktor – Kriege, Verfolgung, Armut und Klimawandel – treibt Menschen dazu, die alte Heimat zu verlassen und woanders Zukunft zu suchen. Der Pull-Faktor – Frieden, relativer Wohlstand, relativ großzügige Sozialversorgung – zieht viele in die westlichen Länder. Etwa 1,4 Millionen Asylbewerber kamen 2015/16 nach Deutschland. Und angesichts der Tatsache, dass Europa die EU-Außengrenzen bisher nur teilweise zu sichern imstande ist, hält die Zuwanderung an, reduziert, aber jährlich immer noch im Umfang einer mittleren deutschen Stadt. Wenn es nicht gelingen sollte, mehrheitsfähige Konzepte zur europaweiten Steuerung von Zuwanderung zu entwickeln, kann dies angesichts der demografischen Entwicklung in Afrika unabsehbare Folgen für die politische, wirtschaftliche und sozialstaatliche Entwicklung auf unserem Kontinent haben. Das Ja, das Gesellschaften aufgrund einer solidarischen Grundhaltung und einer Einsicht in die ökonomischen Realitäten einer Zuwanderungspolitik in einer bestimmten Situation teilen, kann auch verloren gehen.

Der Zusammenhang zwischen der kaum kontrollierten Einreise von über einer Million Asylbewerbern und dem Aufstieg der rechtspopulistischen Alternative für Deutschland (AfD) wird von niemandem mehr bestritten. Menschen wählten AfD oft aus einem einzigen Grund: Sie wollten Einspruch dagegen erheben, dass Deutschland seine Grenzen nicht kontrollierte, dass es Flüchtlinge ohne Registrierung hereinließ und sich bei der späteren Identitätsfeststellung meist mit mündlichen Angaben zufriedengab. Der Verlust von Kontrolle löste und löst Ängste aus. Polen und Ungarn machten ihre Grenze gänzlich dicht, Österreich ging früher und strenger als Deutschland zu Einreisekontrollen über. Und wesentlich mit der Losung »Take back control« entschieden die Brexit-Befürworter das Referendum in Großbritannien für sich. Um Vertrauen zurückzuerlangen, muss die EU, muss aber auch Deutschland dafür sorgen, dass der Zuzug von Flüchtlingen und Migranten tatsächlich kontrolliert und das Einverständnis der Gesellschaft zur Zuwanderungspolitik eingeholt wird.

Als Bundespräsident habe ich davon gesprochen, dass Deutschland seiner humanitären Verpflichtung auch zukünftig nachkommen wird – in dem unserer Gesellschaft möglichen Maß. »Unser Herz ist weit«, sagte ich anlässlich der Interkulturellen Woche 2015, »doch unsere Möglichkeiten sind endlich.« Das galt damals, das gilt heute sogar noch mehr. Jede Gesellschaft stößt bei Zuwanderung irgendwann an ihre Grenzen, im administrativen Bereich ebenso wie im politisch-psychologischen Bereich. Weder das Grundgesetz noch das Völkerrecht könnten eine »unbegrenzte Schutzpflicht« für Asylsuchende oder Kriegsflüchtlinge begründen, urteilte der ehemalige Bundesverfassungsrichter Udo Di Fabio. Jede Bürgerschaft habe das Recht, über die Zusammensetzung ihrer Bevölkerung und die Regeln zum Erwerb der Staatsbürgerschaft selbst zu entscheiden.[154]

Zu entscheiden ist mithin nicht nur über die Höhe, sondern auch über die Zusammensetzung der Zuwanderer. Wie viele Fachkräfte, wie viele Flüchtlinge und aus welchen Ländern? Denn während sich EU-Bürger in der Regel umstandslos integrieren, sind aufgrund der stärkeren kulturellen Distanz und der internationalen Lage die Spannungen zu Asylbewerbern aus dem islamischen Kulturkreis und zu bereits länger im Land ansässigen Einwanderern aus der Türkei gewachsen. Kanada macht vor, dass die Bevölkerung Einwanderung aus humanitären und wirtschaftlichen Gründen durchaus zu akzeptieren bereit ist, aus arbeitsmarktpolitischen Gründen sogar wünscht – wenn sie denn klaren Vorgaben entspricht. Es geht also nicht um die Alternative: Zuzug – ja oder nein? Es geht darum: Welche Zuwanderung nützt unserem Land, zu wie viel Solidarität ist die Bevölkerung bereit, und wie muss Zuwanderung aussehen, damit Bürger sich nicht im eigenen Land fremd fühlen? All das sind legitime Fragen, vor deren Beantwortung sich die Politik nicht drücken darf.

Wer gehört dazu?

Die Bundesrepublik Deutschland ist ein Einwanderungsland geworden, gleichgültig, ob wir es so nennen oder nicht. In den 1950er und 1960er Jahren kamen rund 14 Millionen Gastarbeiter, von denen etwa 3 Millionen dauerhaft blieben. Zwischen 1950 und heute wanderten des Weiteren 4,5 Millionen Aussiedler und Spätaussiedler ein, Menschen deutscher Abstammung, die teils nach vielen Generationen aus Polen, Rumänien und den Nachfolgestaaten der Sowjetunion in die Heimat ihrer Vorfahren zurückkehrten. Nach 1989 und dem Fall des Eisernen Vorhangs kamen weitere Millionen hinzu, über die Hälfte davon aus EU-Staaten, viele aber auch aus Ostmitteleuropa und der ehemaligen Sowjetunion, darunter 216 611 jüdische Einwanderer.[155] Schließlich nahm Deutschland seit 2015 gut anderthalb Millionen Asylbewerber auf.[156] Nach den USA ist Deutschland zum zweitwichtigsten Einwanderungsland geworden.

Heute leben knapp 19 Millionen Menschen mit sogenanntem Migrationshintergrund in unserem Land. Gut jeder Fünfte in Deutschland ist entweder selbst eingewandert oder hat eingewanderte Vorfahren. In Ballungsgebieten wie Offenbach sind es bereits drei von fünf Einwohnern.[157] Auf den Straßen sind Türkisch, Polnisch, Russisch, Arabisch, Kroatisch, Englisch zu hören; in Schulklassen werden oft drei, vier, fünf Sprachen gesprochen. Wir befinden uns mitten in einem tiefgreifenden Veränderungsprozess. Deutschland, das ethnisch weitgehend homogen war, verwandelt sich in ein multiethnisches und multikulturelles Land – mit weitreichenden Folgen für Politik und Gesellschaft.

Dazugehören kann heute nicht mehr an die biologische Abstammung und identische kulturelle Traditionen geknüpft sein. Ein Deutscher ist nicht automatisch mehr ethnisch deutsch und nicht unbedingt protestantisch, katholisch oder (wie besonders in Ostdeutschland) konfessionslos. Auch die anders aussehen, anders sprechen, anders essen, an einen anderen Gott glauben gehören dazu: Menschen, die dauerhaft hier in Deutschland leben und arbeiten, hier ihre Steuern bezahlen, hier ihre Kinder auf Schulen schicken und (oftmals) die deutsche Staatsbürgerschaft haben.

Doch Deutsche mit ausländischen Wurzeln lösen bei einem Teil der einheimischen Deutschen immer noch Unbehagen aus. Eine gewisse Selbstverständlichkeit, in der sich unsere einst weitgehend homogene Gesellschaft befunden hat, ist unwiderruflich abhandengekommen. Der Einzelne kann häufig nicht mehr sicher sein, dass er wirklich versteht, was sein Gegenüber will, und umgekehrt kann er auch nicht mehr sicher sein, vom Gegenüber wirklich verstanden zu werden – und das nicht nur aufgrund fehlender Sprachkenntnisse. Die immer wiederkehrenden Debatten über eine Leitkultur erklären sich daraus, dass die bisherige, ungeschriebene leitende Kultur nicht mehr durchgängig von allen akzeptiert und gelebt wird und eine neue Selbstverständlichkeit erst ausgehandelt und in den Alltag implementiert werden will. Selbst im Westen Deutschlands, wo es bereits früher breite Lernfelder für Toleranz und etliche Erfolge bei ihrer Durchsetzung gab, wurde sie jetzt eher als Zumutung empfunden. Was bestätigt, was wir bereits wissen können: Toleranz *ist* nicht, Toleranz *wird*.

Mir ist natürlich bewusst, dass sich je nach Individuen und nach Gruppen unterschiedliche Reibungen bei der Einwanderung ergeben. Polen beispielsweise, nach den Türken die zweitgrößte Migrantengruppe in Deutschland, fallen so gut wie gar nicht auf. Auch Einwanderer aus anderen europäischen Ländern, Vietnamesen, Iraner oder auch die Religionsgruppe der Aleviten haben sich aufgrund ihrer sozialen Herkunft oder einer gewissen kulturellen Kompatibilität relativ problemlos eingegliedert. Stärker fremdeln einheimische Deutsche zweifellos mit Teilen von Migranten aus patriarchalischen und muslimischen Gesellschaften – und umgekehrt. Normative Konflikte sind aufgrund der differierenden Vorstellungen von der Rolle der Familie, den Beziehungen zwischen Männern und Frauen, zwischen Alt und Jung oder von der Bedeutung der Religion in der Gesellschaft geradezu vorprogrammiert.

Im Umgang mit der neuen Vielfalt zeigen sich in unserer Gesellschaft zwei Extrempositionen. Die einen beschönigen die Lage, die anderen dramatisieren sie. Die einen sehen in Zuwanderern pauschal eine Bereicherung, die anderen nehmen sie in ihrem völkischen, rassistischen Weltbild als ewige Feinde und Bedrohung deutscher Identität wahr. Dabei sind Zuwanderer genauso wenig die Verkörperung des Bösen wie Deutsche die Verkörperung des Guten sind. Ganz besonders die Nationalisten bei uns seien daran erinnert: Die größten Angriffe auf die Zivilisation in Deutschland sind von Einheimischen erfolgt, Angriffe, wie sie schlimmer kaum noch vorstellbar sind. Abermillionen von Deutschen sind daran beteiligt gewesen, Millionen anderer zu ermorden und Demokratie und Rechtsstaat ganz ohne Beteiligung von außen oder »Fremden« zu ruinieren. Aufgrund dieser Erfahrung können wir anderen doch eigentlich überhaupt nicht mit einem größeren Misstrauen begegnen als uns selbst.

Tatsächlich aber existiert die Gefahr, dass sich völkische Haltungen in unserer Gesellschaft und gruppenbezogene Menschenfeindlichkeit weiterhin ausbreiten. Immer wieder berichten Zeitungen von Übergriffen und Brandanschlägen. Beschimpfungen und Beleidigungen vor allem im Internet nehmen zu. Rassistische Ressentiments reichen bis in die Mitte der Gesellschaft. In unserer liberalen Debattenkultur ist die Verurteilung völkischen Rassismus zwar weitgehend Konsens; vielerorts haben sich Gruppen gebildet, die gegen entsprechende Propaganda oder Aktivitäten vorgehen. Weit weniger klar in der Debattenkultur ist allerdings, wie ein auf demokratischer, liberaler Grundlage basierendes Miteinander mit den Zuwanderern denn aussehen sollte. Wie kann in der multiethnischen, multireligiösen, multikulturellen Gesellschaft ein neues »Wir« aussehen?

Wo ist unsere Toleranz gefordert, wo aber unsere Intoleranz notwendig?

Ich stelle mir ein Modell vor, bei dem das Einwanderungsland im Prinzip den Rahmen für das Zusammenleben vorgibt – dieser resultiert aus einem Gewebe nationaler und regionaler Geschichte sowie kulturellem und religiösem Traditionsgut, verbunden mit dem politischen Willen der Mehrheitsgesellschaft. Gleichzeitig haben sich die westlichen Einwanderungsländer mit der Allgemeinen Erklärung der Menschenrechte von 1948 und der Europäischen Menschenrechtskonvention 1950 zu zwei Rechtsgütern bekannt, die Antidiskriminierungsklauseln einschließen. Nationalstaaten können danach ihre nationalen Besonderheiten nicht einfach qua Mehrheit und Macht durchsetzen; auch Minderheiten steht das Recht zu, »ihr eigenes kulturelles Leben zu pflegen, ihre eigene Religion zu bekennen oder sich ihrer eigenen Sprache zu bedienen«.[158]

Im günstigen Fall resultiert daraus eine Beziehung, in der sich Eingewanderte und Einheimische auf einen gemeinsamen Grundbestand einigen – Eingewanderte versichern, dass sie die Geschichte und verfassungsmäßige Grundlage des Einwanderungsstaates respektieren, während die Einheimischen sich offen gegenüber den bereichernden Elementen der zugewanderten Kulturen zeigen. In einem lebhaften, mitunter kontroversen, doch konstruktiven Dialog wird gemeinsam um Lösungen für die vielen Einzelfragen gerungen.

So weit das Modell. Deutschland hat sich allerdings nur zögerlich als Einwanderungsland definiert, die Debatte um einen gemeinsamen Grundbestand wurde erst spät und halbherzig aufgenommen. Die Ersten, die in den 1950er Jahren als Gastarbeiter kamen, sollten und wollten auch gar nicht für immer bleiben. Erst nach dem Anwerbestopp 1973 richteten sich diejenigen, die blieben, auf eine Zukunft in Deutschland ein und holten ihre Familien nach. Das betraf vor allem die Gastarbeiter aus der Türkei. Gezielte Maßnahmen zu ihrer Integration existierten nicht, viele Einwanderer dieser ersten Generation sprechen bis heute kaum oder schlechtes Deutsch. Manche lebten schon mehrere Jahrzehnte in unserem Land, als im Jahre 2000 Nicht-EU-Bürgern und ihren Kindern durch das neue Staatsbürgerschaftsgesetz die Einbürgerung erleichtert wurde. Aber gehören die Neuen jetzt dazu?

Es ist kein Zufall, dass sich die Debatte um Zugehörigkeit schon mehrfach an einer Alltagsfrage entzündet hat, die den einen als unschuldig und den anderen als diskriminierend erscheint: »Woher kommen Sie denn … eigentlich?« Auch ich habe Menschen so befragt. Und habe mich wie viele andere damit gerechtfertigt, dass sich dahinter ein aufrichtiges Interesse verberge und keinesfalls verdecktes Misstrauen oder gar rassistische Ausgrenzung – wie sie zweifellos auch vorkommen.

Inzwischen habe ich gelernt, die Frage auch mit anderen Augen zu betrachten. Denn was immer das Motiv sein mag: Sie legt das Gegenüber primär auf seine Migrantenidentität fest und betont damit die Differenz zu dem, was vielen immer noch als »normales« Deutschtum gilt.

»Es nervt«, sagte mir eine junge Bekannte, deren Eltern aus der Türkei stammen, die selbst in Deutschland geboren wurde und sich als Deutsche versteht,»wenn meine dunklere Haut und meine dunklen Haare das Erste sind, was mich in der Wahrnehmung anderer ausmacht und mich zu einer Migrantin stempelt. Dabei kenne ich kein anderes Land so gut wie Deutschland und spreche keine andere Sprache so gut wie Deutsch.

Es nervt, wenn ich aufgrund meiner Herkunft automatisch zum Experten für das einstige Heimatland meiner Familie werde.

Warum soll ich Auskunft geben über Erdoğan, wo ich doch in Gelsenkirchen geboren wurde, zeit meines Lebens in Deutschland gelebt habe und schon lange die deutsche Staatsbürgerschaft besitze?

Es nervt, wenn wildfremde Menschen glauben, sie hätten das selbstverständliche Recht, mich nach ganz privaten Dingen zu fragen, nach meiner Familie, nach meinem Glauben, nach meinen Urlaubsplänen, es ihrerseits aber als Zumutung empfinden würden, wenn ich sie genauso ausfragen würde.«

In London, fuhr die junge Frau fort, habe sie sich zu ihrer eigenen Überraschung viel mehr zuhause gefühlt als in Berlin. Eine Trennung zwischen »uns« und »ihnen«, den Einheimischen (Engländern) und den Zugewanderten, habe sie dort nicht gespürt. Niemand habe sie im Bus angestarrt, niemand auf ihre Herkunft angesprochen. Die Londoner wählten 2016 sogar einen pakistanischen Briten zum Bürgermeister – der erste Muslim als Repräsentant einer europäischen Hauptstadt. Und die Rotterdamer wählten 2008 einen marokkanischen, muslimischen Einwanderer erster Generation zum Bürgermeister, sechs Jahre später bestätigten sie ihn mit großer Mehrheit im Amt. Sollten nicht auch die Deutschen inzwischen genügend Zeit gehabt haben, sich an Andere zu gewöhnen und Anderen selbstbewusst Gleiches zuzutrauen?

Ich gestehe, dass dieses Gespräch dazu geführt hat, dass ich meine Neugier inzwischen zügele und mich nach der Herkunft von Menschen möglichst nur noch dann erkundige, wenn das Gespräch diese Frage irgendwie berührt. Es ist wie eine Lernaufgabe: Es gilt, bewusst zu akzeptieren, dass Deutschsein seine ehemalige (scheinbare) Eindeutigkeit verliert und mehr Facetten umfasst. Es gilt, sich einzugestehen, dass dieses Land seine Landeskultur behalten kann und soll, aber Bestandteile anderer Kulturen aufnehmen kann und muss, wenn das Zusammenleben der Verschiedenen gelingen soll. Unsere Zukunft kann nicht nur die Verlängerung der Vergangenheit sein.

Wir, die Mehrheitsgesellschaft, müssen und können lernen, dass der Grad der Verschiedenheit der als Bürger Mitwirkenden heute größer ist als in vergangenen Zeiten. Frühere Generationen hatten andere, ebenfalls herausfordernde Lernprozesse zu bewältigen. Etwa, als es darum ging, sich von der Existenz eines Untertans in einer feudalen Gesellschaft zu verabschieden und die Haltung eines eigenverantwortlichen Bürgers zu übernehmen. Heute nun geht es darum, Deutschsein auszudehnen auf jene Bürger, deren Zukunft in Deutschland liegt, die aber wie jeder Migrant noch über kürzere oder längere Zeit mit der alten Heimat verbunden sein werden. Das Interesse für die Herkunft sollten wir uns daher auch bewahren, als Interesse an der Gewordenheit einer ganz konkreten Person, weil wir sie sonst um Teile ihrer Identität beschneiden. »Dass ich die Reste meines russischen Ichs, die Kinderlieder, den Geschmack der pappsüßen Geburtstagstorten auf der Zunge, […] meine Sehnsucht nach Birkengeruch – abgeben muss, um deutsch zu sein. […] Will ich das? Kann ich nicht russisch-deutsch oder sonst eine Mischung sein?«, fragte die Schriftstellerin Lena Gorelik, die als russische Jüdin in Leningrad (heute St. Petersburg) geboren wurde und seit 1992 in Deutschland lebt. Und die Antwort lag für sie auf der Hand: »Das ist, und darüber muss ich nicht nachdenken, ein Preis, den zu zahlen ich nicht bereit wäre.«[159] Für jeden Migranten gibt es also eine Zeit des Übergangs zwischen zwei Welten, die die Außenwelt zu akzeptieren hat. Eine offene und tolerante Mehrheitsgesellschaft kann allerdings die Beheimatung der Hinzugekommenen und natürlich auch deren Loyalität durch offenes Entgegenkommen fördern. Darum ist Toleranz nicht nur eine Tugend, sondern auch ein Gebot politischer Vernunft.

Statt Menschen, die dazugehören und teilhaben wollen, in die Distanz zu treiben, sollten wir sie zur selbstverständlichen Teilnahme am öffentlichen Leben ermutigen. Und wahrnehmen, dass all die Deutschen doch schon längst unter uns leben, die ihre ausländischen Wurzeln nicht daran gehindert haben, dieses Land mitzugestalten. Etwa Ali Ertan Toprak, geboren 1969 in der Türkei, seit 1971 in Deutschland, Vorsitzender der Kurdischen Gemeinschaft und der Immigrantenverbände in Deutschland: »Ja, es mag pathetisch klingen, aber ich habe Deutschland umarmt und das Ruhrgebiet, wo ich aufgewachsen bin und wo ich heute noch lebe, ins Herz geschlossen. Ich möchte nirgendwo sonst leben. Doch macht man es mir und anderen Migranten nicht immer leicht. Immer wieder werden wir nach unserer ›eigentlichen‹ Identität gefragt. Wie türkisch darf ein Deutscher denn sein? Wie deutsch darf ein Türke sein? Warum fällt es so schwer, zu begreifen, dass man mehrere Identitäten haben und trotzdem Deutscher sein kann?«[160]

Multikulturalismus: Über die Grenzen der Toleranz

Ich würde mich selbst verleugnen, wenn ich es nicht bekennen würde: Für mich gibt es keine Äquidistanz zwischen einer rechtsstaatlich und menschenrechtsbasierten Ordnung einerseits und vormodernen, patriarchalischen oder autoritären Ordnungen andererseits. Die in Europa gewachsenen Grundlagen, wie sie sich seit der Aufklärung politisch und kulturell herauskristallisiert haben, halte ich in unserer Demokratie nicht für verhandelbar. Weder gegenüber Rechtsextremisten noch gegenüber Fundamentalisten anderer politischer, kultureller und religiöser Auffassungen. Menschenrechte, Freiheit, Rechtsstaat und auch die Trennung von Staat und Kirche erscheinen mir nach wie vor als die großen und unbedingt verteidigenswerten Errungenschaften der Aufklärung.

Wenn Multikulturalismus nun meint, dass sich Menschen trotz unterschiedlicher Prägungen und auch unterschiedlich langer Anmarschwege zu einem gleichberechtigten Zusammenleben zusammentun in der Verteidigung und dem Ausbau eines demokratischen, liberalen Gemeinwesens, dann bejahe ich Multikulturalismus – als Ausdruck der Erfahrung von gelebter Vielfalt, Dynamik und Offenheit. Das empfinde ich als optimistisch und zukunftsorientiert. Einwanderer haben unser Land reicher, stärker, vielfältiger gemacht. Mit ihrem beruflichen Fleiß, ihrem Unternehmergeist, mit ihrer Literatur, ihrer Musik, ihren Filmen, ihrem sportlichen Können und ihren Speisen und Getränken. Nicht wenige Journalistinnen, Sportler, Schauspieler oder Politiker sind bundesweit bekannt. Mutig und selbstbewusst haben die meisten der Versuchung widerstanden, in eine Opfermentalität zu verfallen. Sie sind Vorbilder, weil ihnen ein Leben in freier Selbstbestimmung gelingt.

Wenn Multikulturalismus allerdings eine politische Theorie und Praxis meint, die alle Kulturen, Glaubensrichtungen und Lebensformen als grundsätzlich gleichwertig erachtet,

wenn Multikulturalismus Nachsicht selbst gegenüber Kulturen erwartet, die frauenfeindlich, homophob, antisemitisch, antidemokratisch und intolerant sind, und Zugewanderten einfach das Recht zuspricht, ihrer »Kultur treu zu sein«,[161]

wenn Multikulturalismus dem Kollektiv den Vorrang gibt, die individuelle Emanzipation des Menschen nicht fördert und

wenn Multikulturalismus aufklärerischen Universalismus als eine überholte Auffassung denunziert, die westliches Hegemonial- und Dominanzstreben beinhalte,

dann lehne ich Multikulturalismus ab. Denn dann trägt er keinen emanzipatorischen Charakter. Manchmal ist der Weg dann von einer pseudogenerösen Spielart von Toleranz zu einem Wertrelativismus oder gar – wie bei Michel Houellebecq – zur »Unterwerfung« nicht weit. Und befremdlich genug: Hier decken sich die Vorstellungen von Menschen, die sich als progressiv und sensibel ausgeben, plötzlich mit denen von reaktionären Migranten.

Wenn allen Kulturen der gleiche Respekt entgegenzubringen ist: Soll das ernsthaft bedeuten, dass in der Schule statt naturwissenschaftlicher Erkenntisse die Schöpfungsgeschichte zu lehren ist, weil sie Teil einer jüdisch/christlich-fundamentalistischen Kultur ist? Oder dass in unserem Land Ehebruch als schweres Verbrechen gelten kann, das nach Koran oder Hadith mit je 100 Peitschenhieben für Mann und Frau oder mit Steinigung zu bestrafen ist?

Ein geradezu erschreckendes Beispiel für einen derartigen Kulturrelativismus fand sich in einem Urteil des Landgerichts Cottbus vom Juni 2017. Das Gericht verurteilte einen tschetschenischen Asylbewerber zu 13 Jahren Haft, nachdem der Mann aus Eifersucht mit dem Messer mehrfach auf seine Frau eingestochen, sie dann aus dem Fenster geworfen und der schwer verletzten Frau auf dem Bürgersteig noch die Kehle durchschnitten hatte. Er wurde nur des Totschlags und nicht des Mordes für schuldig befunden, weil das Gericht Zweifel daran hegte, dass dem Täter seine niedrigen Beweggründe bewusst waren. Der Koran gebe ihm das Recht, seine Frau bei vermutetem Ehebruch zu töten, soll er bei seiner Vernehmung gesagt haben. Da der Täter erst ein halbes Jahr in Deutschland gelebt hat und kein Deutsch versteht, sei – so das Gericht – nicht davon auszugehen, dass ihm die Wertvorstellungen und Gesetze unseres Landes vertraut gewesen seien. Ich bin weit davon entfernt, die Unabhängigkeit von Gerichten infrage zu stellen. Aber hier wird man doch bezweifeln, dass ein derartiges Urteil der Achtung vor der *rule of law* dient.[162]

Wir sind in den letzten Jahren mehrfach Zeuge von Auseinandersetzungen geworden, in denen sich kulturelle oder religiöse Auffassungen zwischen Mehrheiten und Minderheiten diametral gegenüberstanden. Traditionen und Bräuche der einen galten den anderen als anstößig und unzumutbar. In einigen Fällen hat der Gesetzgeber die Konflikte eindeutig auf der Basis unseres universalistischen Verständnisses der Menschenrechte entschieden. Zwangsheirat und Genitalverstümmelung sind in Deutschland verboten. In anderen Fällen hat die Politik kulturellen und religiösen Besonderheiten hingegen Rechnung getragen. 2012 hatte ein

Richterspruch in der religiös motivierten Jungenbeschneidung eine Verletzung der körperlichen Unversehrtheit, das heißt eine Straftat gesehen. Als dieses Urteil bei Juden und Muslimen große Unruhe auslöste, schuf der Bundestag mit breiter Mehrheit eine neue gesetzliche Grundlage. Die rituelle Beschneidung in Deutschland ist nun weiter zulässig, wenn sie ein Arzt vornimmt, oder – sollte das Kind jünger sein als sechs Monate – eine »von der Religionsgemeinschaft dazu vorgesehene Person«.

Dieses Beispiel zeigt, dass es nicht ausgeschlossen ist, Kompromisse zu finden, wenn unterschiedliche Wahrheits- oder Wertevorstellungen aufeinanderstoßen. Religiöse, weltanschauliche oder kulturelle Besonderheiten müssen nicht zwangsläufig mit unserer Gesetzeslage kollidieren. In einem Fall hatte ein elfjähriges Mädchen die Teilnahme am Schwimmunterricht gemeinsam mit Jungen verweigert. Das Gericht bestand auf der Teilnahme am Schwimmunterricht als Bestandteil der Schulpflicht, gestand dem Mädchen aber einen Burkini in der Gemeinschaft mit Jungen zu.[163] In anderen Fällen hingegen haben wir es mit einer multikulturalistischen Nachsicht zu tun. Wenn entgegen gesetzlichen Normen einfach hingenommen wird, dass muslimische Mädchen nicht mit zum Schwimmunterricht oder zur Klassenfahrt kommen. Ich halte dies für falsche Toleranz.

Ich denke, manchmal werden Gerichten Entscheidungen zugeschoben, wenn in der Gesellschaft noch Unsicherheit existiert, welches Verhalten und welches Urteil richtig oder angemessen sind. Aber vielleicht braucht ein Urteil manchmal einfach Zeit. Und vielleicht muss auch gar nicht alles streng geregelt sein. Eine Frau beispielsweise, der ein Muslim oder ein orthodoxer Jude den Händedruck verweigert, kann Verständnis zeigen oder generös über die Kränkung hinwegsehen oder sie zum Anlass für eine Debatte über Frauenfeindlichkeit etwa muslimischer Tradition nehmen.

Ich sehe mich außerstande, in solchen Fällen eine Empfehlung oder ein Urteil abzugeben. Bei derartigen Begegnungen wird es zum Teil nicht ohne Kränkungen abgehen. Aber wenn die Beteiligten nicht mit einem unbedingten Durchsetzungswillen in die Debatten gehen, sondern sie im Geiste von Verständigung und Toleranz führen, dürften sich Wege eröffnen, die beide Seiten ihr Gesicht wahren lassen. Geht es Beteiligten hingegen um die Durchsetzung einer kulturellen oder politischen Agenda, drohen Polarisierung und nachhaltige Spaltung der Gesellschaft.

Am deutlichsten wird dies wohl bei der Debatte um das Kopftuch.

In den 1960er Jahren wurde das Kopftuch in Deutschland allein von Frauen aus Anatolien getragen und so unter dem Kinn zusammengebunden wie bei den Bäuerinnen einst bei mir in Mecklenburg. Heute hat sich die Situation geändert. Im Zuge der Islamisierungsbewegung der letzten 40 Jahre ist die Zahl der Mädchen und Frauen, die Kopftuch tragen, gestiegen, und es wird nun auch nach Art des Hidschab um den Kopf geschlungen. Das Kopftuch sei ein normales Zeichen des Islam, lautet die Botschaft von Traditionalisten, aber natürlich auch von Islamisten und Fundamentalisten.

Obwohl das Kopftuch Ausdruck einer patriarchalischen Tradition ist und Frauen im Iran das Kopftuch als Zeichen ihrer Befreiung ablegen, feiern es muslimische Feministinnen im Westen als Zeichen ihrer Emanzipation. »Hidjab means Empowerment« heißt es beispielsweise in den USA. Offenbar eine demonstrative Trotzreaktion darauf, dass sich muslimische Frauen von der Mehrheitsgesellschaft abgewertet sehen – nun stellen sie das heraus, was am stärksten Kritik auf sich gezogen hat.

Selbstverständlich ist nicht jede Frau mit Kopftuch eine Verfechterin eines fundamentalistischen Islam oder eine Gegnerin unserer Demokratie. Etliche tragen das Kopftuch auch nicht aufgrund äußeren Drucks, sondern weil sie es so wollen. (Wobei mir bewusst ist, dass es sich natürlich um ein internalisiertes Gebot handeln kann.) Aber es kann angesichts des politischen Islam auch nicht davon abgesehen werden, dass im religiösen auch ein politisches Bekenntnis zum Ausdruck kommt.

Das Grundgesetz garantiert zwar die Glaubens- und Gewissensfreiheit, gleichzeitig sieht es die weitgehende Trennung von Staat und Kirche vor. Zweifellos ein Konflikt: Auf der einen Seite das Bekenntnis des Einzelnen zu einer als absolut verstandenen Religion, auf der anderen Seite die rechtsstaatliche Demokratie, die das Absolute des Glaubens zu achten, aber auch dafür zu sorgen hat, dass die Gesetze von allen in gleicher Weise respektiert werden. Bisher hat der Staat eine gewisse »wohlwollende Neutralität« gegenüber den Religionen im öffentlichen Raum gezeigt. Aber er hat auch einem generellen Neutralitätsversprechen gegenüber allen Glaubensrichtungen und Weltanschauungen zu folgen. »Ist es zu viel verlangt«, fragte daher der ehemalige Verfassungsrichter Udo Di Fabio, »dass eine Muslimin, die als Richterin diese voraussetzungsvolle Rechtsordnung repräsentiert, im Gerichtssaal ihrerseits ein Zeichen der Neutralität gibt?«[164]

Unser Staat hat sich jedenfalls entschieden, im Falle von Richterinnen und Staatsanwältinnen der Neutralität der Gerichte den Vorrang vor der Glaubensfreiheit zu geben. Eine Richterin mit Kopftuch, so die Befürchtung, könne das Vertrauen in die Unabhängigkeit und Neutralität des Gerichts gefährden. Im Bereich der öffentlichen Schulen hingegen hat das Bundesverfassungsgericht Anfang 2015 anders befunden. Das Tragen eines Kopftuches ist nur untersagt, falls dadurch eine »hinreichend konkrete Gefahr« für den Schulfrieden besteht. Die Meinungen über dieses Urteil sind geteilt, die juristische Auseinandersetzung ist nicht beendet.

Eine Initiative von Politikern, Frauenrechtsorganisationen und verschiedenen Lehrerverbänden agitiert inzwischen dafür, Mädchen unter 14 Jahren das Tragen des Kopftuchs in den Schulen zu untersagen. Mädchen sollen nicht vom Elternhaus oder ihrem sozialen Umfeld unter Druck gesetzt werden, Entscheidungen zu treffen, deren Bedeutung sie noch gar nicht zu überblicken vermögen. Ich denke, dass ein solches Verbot Mädchen tatsächlich helfen könnte, einem Druck des Elternhauses oder des Umfelds zu widerstehen. Und wenn sie das Kleidungsstück aufgrund der Tradition, der Religion oder einer Protesthaltung später zu tragen wünschen, dann steht ihnen das frei, sobald sie eine wirklich selbstständige Entscheidung treffen können.

Migrantische Intoleranz: Interne Restriktion

Manchmal frage ich mich, ob unsere Gesellschaft aus Unsicherheit und dem Wunsch nach guten Kontakten gegenüber Eingewanderten nicht vielmals Zugeständnisse gemacht hat, die demokratischen Werten widersprechen. Staatliche Behörden haben häufig mit muslimischen Organisationen zusammengearbeitet (nicht zuletzt, weil es auch gar keine anderen gab), die auch im Einwanderungsland nicht auf patriarchalische Traditionen und ein Religionsverständnis verzichten wollten, wie sie in den Herkunftsländern herrschen. Häufig haben Staat und Gesellschaft auch nicht genau hingeschaut, was in den eingewanderten Communitys geschieht und welche Intoleranz in ihnen herrscht.

Wie ein ganz normaler Druck innerhalb einer eingewanderten Community aussehen kann, schildert in seltener Offenheit die junge Tuba Sarica, deren Eltern aus der Türkei einwanderten. Wenn sie abends ausgehen, wenn sie einen Minirock tragen, wenn sie eine eigene Wohnung anmieten oder einen deutschen Freund haben wollte: immer stieß sie auf die deutliche Missbilligung von Familie und Verwandten. »Wenn du die Leitkultur des Landes leben willst, in dem du wohnst, wirst du beschuldigt, deine Familie nicht zu lieben und den Islam zu verschmähen.« Nie war es nur die Mutter, die sie kritisierte. Hinter der Mutter standen die Verwandten und die Bekannten, letztlich die ganze »Community«, die voraussetzte, »dass jeder Deutschtürke so denkt wie sie, und sie glauben sogar, dass sie einen Anspruch auf dich haben«.[165]

»Warum vertreibt ihr mich?«, fragte deswegen die Schauspielerin Sibel Kekilli auf einer Veranstaltung, zu der ich 2015 als Bundespräsident gemeinsam mit der Frauenrechtsorganisation Terre des Femmes ins Schloss Bellevue eingeladen hatte. »Warum muss ich weg, wenn ich nicht den mit Regeln vollgepflasterten Weg gehe, den ihr mir aussucht? Warum wollt ihr mir ein Korsett aus starren Regeln und Pflichten überstreifen und immer fester schnüren, wenn ich so doch nicht mehr atmen kann?« Sie sprach damals keinen Text aus irgendeinem Drehbuch, sie sprach über sich, der die Familie jeden Kontakt aufgekündigt hatte, als sie sich zu einem eigenständigen Weg entschied. »Warum versteht ihr nicht, dass Freiheit nichts Bedrohliches hat, dass sie einem nichts tut, sondern nur eine Chance auf Selbstentfaltung bedeutet? Wie könnt ihr Toleranz erwarten, wenn ihr selbst nicht zu tolerieren imstande seid?«[166]

Damals sagte mir mein Gefühl, was mein Kopf zu denken hatte: Wenn Migranten diskriminiert werden, in der Schule, auf der Arbeit, im Alltag, haben sie alles Recht der Welt, sich dagegen zu wehren und die Angehörigen der Mehrheitsgesellschaft anzuklagen, die sie verletzt haben. Aber ich darf mich auch nicht vor der Einsicht verschließen, dass Menschen aus eingewanderten Familien, die ihren eigenen Weg gehen wollen, auf teilweise energischen Widerstand in der eigenen Community stoßen. In einer liberalen Gesellschaft müssen deshalb die Freiheitsrechte auch dem Schutz von Individuen vor dem Druck der eigenen Gruppe dienen. Diese Menschen, die den Weg in ihre Freiheit nicht selten mit dem vollständigen Bruch mit der Familie bezahlen müssen, sollten unserer Solidarität und Unterstützung sicher sein können.

Toleranz gegenüber Abweichlern zu praktizieren, empfinden viele Zuwanderer als eine nicht zu akzeptierende Zumutung, ja als Verrat an ihrer kulturellen und religiösen Herkunft. Gerade Diaspora-Gemeinden patriarchalischer Traditionen sind häufig voller Zwänge und Vorschriften und agieren in einigen Fällen sogar mit erschreckender Gewalt gegenüber jenen, die die Regeln verletzen. Nach wie vor gibt es in Deutschland Zwangsehen, nach wie vor sogar Ehrenmorde, wenn sich junge Frauen den Heiratserwartungen der Familie widersetzen und damit angeblich deren Ehre verletzen. So wurden 2017 48 und ein Jahr zuvor 41 Ehrenmorde (Morde und Mordversuche) in türkeistämmigen, syrischen, afghanischen, irakischen und albanischen Familien verzeichnet.[167]

Der politische Islam, wie er in den letzten Jahren stärker geworden ist, hat paternalistische Traditionen noch bestärkt. Lehrerinnen berichten von zunehmendem religiösem Druck in den Schulen. Vor zehn Jahren noch spielte das Fasten an Ramadan dort keine Rolle. Heute drängen Schüler ihre Mitschüler zum Fasten, mittlerweile ist es in so manchen Schulen mit Kindern aus überwiegend Zuwandererfamilien üblich geworden.[168]

Mein Verhältnis zu Parallelgesellschaften ist daher äußerst ambivalent. Für Neuankömmlinge sind sie hilfreich und wichtig, denn sie bilden nützliche Ankerpunkte in völlig fremder Umgebung. Verwandte und Landsleute helfen bei Behördengängen und der Wohnungssuche, manchmal verhelfen sie zu ersten (und sei es illegalen) Arbeiten. Restaurants mit Hummus, Pelmeni und Köfte vermitteln einen Hauch von Heimat. Andererseits erweisen sich Parallelwelten viel zu oft als eine Sackgasse.

Unter Migranten lernt der Migrant kein Deutsch, keine deutschen Regeln, keine landesüblichen Denk- und Verhaltensmuster. Und wenn ein muslimischer Zuwanderer nach Halt in seiner Religion sucht, begegnen ihm nicht selten islamische Fundamentalisten, »die selbst Toleranz nur instrumentell verstehen und intolerant gegenüber ihren Gegnern sind, vor allem innerhalb der islamischen Gemeinde selbst«.[169] Derartige Geistliche haben nicht nur junge Menschen zum Dschihad verführt; sie stiften gläubige Muslime auch zur Verachtung an für die Ungläubigen und für das

Land, in dem sie leben – Deutschland. Und fast mehr noch predigen sie Hass gegenüber Muslimen, die ihrem fundamentalistischen Verständnis des Islam nicht folgen. Kritiker eines fundamentalistischen Islam wie auch Kritiker patriarchalischer Strukturen erhalten immer wieder Morddrohungen.

Ich bin voller Respekt, wenn Zugewanderte mutig und im Sinn der Aufklärung gegen Traditionalisten und Fundamentalisten in der muslimischen Community streiten. Sie sind für mich Botschafter von Pluralität, Offenheit und Toleranz in einer Welt der Denkverbote, Vertreter eines Islam, der sich den Vorgaben der traditionellen, weitgehend vom Ausland gesteuerten Verbände entzieht. Sie sind Verbündete im Kampf für eine tolerante, demokratische Gesellschaft der Zukunft. Denn eines ist offensichtlich: Die Trennungslinie in einer Demokratie verläuft nicht zwischen Alteingesessenen und Newcomern, sondern zwischen Fundamentalisten und Extremisten einerseits und Demokraten andererseits. Eine offene Gesellschaft braucht das Engagement aller Demokraten unabhängig von ihrer Herkunft, ihrem Glauben oder anderen Besonderheiten. Sie braucht eine starke Mitte, Menschen, die sich einer fundamentalistischen Intoleranz ebenso widersetzen wie einer allzu nachsichtigen Toleranz und auf den gleichen demokratischen Rechten für alle beharren.

Wie stark der Einfluss des politischen Islam und autoritär-patriarchalischer Traditionen zurückgehalten werden kann, hängt wesentlich davon ab, wie sich diese demokratische Mitte jetzt und in Zukunft positioniert. Wenn sie sich entscheidet, Kritik an Zugewanderten zu unterlassen oder zu verbieten, weil das jemand für rassistisch halten könnte, überlässt sie autoritär-patriarchalischem Denken und Handeln den Raum. Wenn sie die Kritik an einem politischen Islam verbietet, weil das Islamophobie fördern könnte, gibt sie ohne Not den Raum frei für die Deutungshoheit von Fundamentalisten und Islamisten. Eine Toleranz gegenüber der Intoleranz bewirkt aber das Gegenteil des Intendierten. Sie beschädigt oder eliminiert die Pluralität/Vielfalt, auf der unsere Demokratie beruht.

In diesem Zusammenhang muss ich mir aber auch die Frage stellen, warum unsere Gesellschaft, warum auch ich mich in den letzten zwei Jahrzehnten damit abgegeben habe, alle Einwanderer aus muslimischen Ländern unter dem Etikett der »Muslime« zu subsumieren. Gekommen waren Türken, Kurden, Bosnier, Palästinenser, Iraner, Araber. Aber in der Wahrnehmung in Deutschland verschmolzen sie alle zu »Muslimen«. Das war der ideologische Boden, auf dem die Vertreter des politischen Islam ihre Anrechte auf Repräsentation aufbauten und andere, säkulare, kulturelle, ethnische Gruppen an den Rand drücken konnten.

Dabei übersah die Öffentlichkeit, dass unter dem einen Etikett ganz unterschiedliche Gruppen zusammengefasst wurden, verschieden in ihrer Glaubensrichtung und im Grad ihrer Gläubigkeit. Für die überwiegende Mehrheit von ihnen dürfte die Religion nicht einmal die bestimmende Identität sein, und einige sind bekennende Ex-Muslime. Längst nicht alle, die aus islamischen Ländern kamen und kommen, sind außerdem Muslime, sondern unter anderem Christen, Aleviten und Jesiden. Unter dem großen Schirm der pauschalen religiösen Zuordnung verschwanden auch fast alle politischen Widersprüche wie etwa zwischen Kurden und Türken, und damit auch noch das Leid, das manche aufgrund ihrer Verfolgung durch fanatische Muslime und Nationalisten oft erleiden mussten. Auf deutschen Straßen kann eine Alevitin, die ihren Ehemann bei einem Brandanschlag türkischer Nationalisten in Anatolien verlor, auf einen der Brandstifter und Mörder stoßen – er erhielt in Deutschland Asyl. Auf deutschen Straßen kann eine Jesidin, die sich mehrere Jahre in IS-Gefangenschaft befand, ihrem Vergewaltiger begegnen – ein Asylbewerber wahrscheinlich auch er. Derartiges lässt sich vielleicht nicht in jedem Fall verhindern. Aber eines sollte unbestritten sein: Unsere Solidarität und unser Interesse haben den Opfern zu gelten.

Von der Kraft unserer Werte

Manchmal kann ich mich des Eindrucks nicht erwehren, dass es dem Staat, dass es uns als Gesellschaft an Mut fehlt, bei Verletzung von Gesetzen und Regeln mit der notwendigen Entschiedenheit aufzutreten. Das gilt im Großen, etwa gegenüber dem Treiben rechtsextremer Aktivisten im Land, die teilweise in Wachschutzdienste vorgedrungen und mit der Rockerszene vernetzt sind, oder gegenüber libanesischen Clans, die ungestört über Jahre kriminelle Strukturen aufbauen konnten und manchmal ganze Stadtteile terrorisierten. Sei es im Kleinen, wenn hingenommen wird, dass auf den Schulhöfen Witze über »Juden« und »Kartoffeln« gerissen werden oder Schüler selten im Unterricht auftauchen. Es wird zwar viel über normative Grundlagen und die Verbindlichkeit von Gesetzen geredet. Doch im Alltag werden die roten Linien nur allzu häufig überschritten. Wie aber soll als gültig verstanden werden, was nicht eingefordert wird?

Als Bundespräsident habe ich 2016 bei einem Staatsbesuch in Belgien auch ein Jugendzentrum in Mechelen besucht, einer Stadt unweit von Brüssel, mit vielen architektonischen Kleinoden, aber bis vor kurzem auch mit handfesten Problemen der inneren Sicherheit. Kriminalität kennzeichnete den Alltag, viele Täter zählten zu den Zugewanderten, die über 27 Prozent der Einwohner bilden. Inzwischen hat sich die Atmosphäre gänzlich gewandelt. Mechelen ist eine aufstrebende Stadt, die das Vertrauen ihrer Bürger zurückgewonnen hat, mit Maßnahmen, die bei uns in Deutschland bei nicht wenigen für Irritation sorgen dürften.

Der liberale Bürgermeister Bart Somers setzt nämlich auf die Linie: null Toleranz gegen Ausgrenzung und Intoleranz, null Toleranz aber auch gegenüber Kriminalität und Radikalisierung. Wenn der Staat lax ist, so seine Erfahrung, hat er schon verloren. Er stockte die Polizei auf, installierte Überwachungskameras, verfolgte selbst kleine Straftaten und kontrollierte engmaschig, wer des Terrorismus verdächtig war. Gleichzeitig aber sollte, wer bestraft wird, verstehen, warum er bestraft wird. Wichtig ist, dass Regeln verstanden und eingehalten werden und ein Verantwortungsgefühl entsteht.[170] Prävention spielt eine große Rolle, Vorbilder speziell aus den Milieus der Zugewanderten trugen zum Sinneswandel unter den Einwohnern bei. Es ist beeindruckend.

Mechelen ist zwar kein Paradies geworden. Aber das Gefühl der Verbundenheit hat zugenommen, der Wille zum gemeinsamen Handeln ist gewachsen, die Kriminalität ist um die Hälfte gefallen, kein einziger Jugendlicher ist in den Dschihad gezogen. Hier zeigt sich, dass eine entschiedene Politik keine willkürliche Repression ist, vielmehr eine emanzipatorische Politikvariante in Situationen, in denen das Recht zunehmend missachtet und die Sicherheit der Bürger bedroht ist. Hier zeigt sich auch, dass eine neue städtische Gemeinschaft entstehen kann, wenn sich Einheimische gemeinsam mit den Zugewanderten auf verpflichtende, menschenrechtliche Grundlagen verständigen und Rücksicht auf die Gewohnheiten der jeweils anderen nehmen, ohne die eigenen aufzugeben oder zu verstecken. Vielfalt wirkt dann nicht bedrohlich, sondern wie ein erweiterter Raum der Freiheit, in dem ein jeder an Wahlmöglichkeiten gewinnt und sich durch die Unterschiede zu anderen besser erkennen lernt.

An dieser Mischung aus Strenge und Offenheit orientieren sich auch Berlin-Neukölln und andere deutsche Städte. Wir werden zwar nie eine Gesellschaft haben, in der alle Teile in einem gemeinsamen Wollen verbunden sind. Wir müssen zwar auch die destruktiven und nicht integrationswilligen Menschen ertragen, was nicht heißen kann, darauf zu verzichten, sie in ihre Schranken zu verweisen. Wir brauchen aber die kritische Masse derer, die die Gesellschaft der Zukunft mitgestalten wollen – unter den Einheimischen wie unter den Eingewanderten. Wir brauchen gemeinschaftsfördernde Aktivitäten in Schulen, am Arbeitsplatz, in Sportvereinen,

Chören, Kirchen, Stadtteilinitiativen, im Kickboxverein oder bei Straßenfesten.

Und was geschieht, wenn Einheimischen und Zugewanderten die Zukunft des Landes gleichermaßen am Herzen liegt, das fand ich nie so scharfsinnig und emotional zugleich formuliert wie von Amin Maalouf:

»Wenn ich mich zu meinem (Gast-)Land bekenne, wenn ich es als das meine betrachte, wenn ich der Ansicht bin, dass es fortan ein Teil von mir selbst ist, wie ich ein Teil von ihm, und wenn ich mich entsprechend verhalte, dann habe ich das Recht, jeden seiner Aspekte zu kritisieren;

Umgekehrt, wenn dieses Land mich respektiert, wenn es meinen Beitrag anerkennt, wenn es mich in meiner Eigenart fortan als Teil von sich betrachtet, dann hat es das Recht, bestimmte Aspekte meiner Kultur abzulehnen, die mit seiner Lebensweise oder dem Geist seiner Institutionen unvereinbar sein können.«[171]

In meiner Zeit als Bundespräsident habe ich mit Blick auf unser Land von einem neuen »Wir« gesprochen. Ich denke: So kann es entstehen.

Zum Beispiel: Das Haus II

Am Anfang des Buches habe ich von Thomas berichtet, einem guten Bekannten in Westdeutschland, der vor einigen Jahren ein Wohnhaus geerbt hat. Ich möchte an dieser Stelle noch einmal auf seine Erfahrungen zurückkommen, weil Ereignisse in letzter Zeit seine Toleranz vor eine neue Bewährungsprobe stellten. Ich zitiere einfach aus einer E-Mail, in der Thomas von einem Mieterwechsel berichtete.

»... Alles fing damit an, dass Alicja mir eines Tages mitteilte, sie und ihr Freund – das Pärchen im Erdgeschoss – würden gern möglichst schnell ausziehen. Man hatte ihrem Freund eine Stelle im Ausland angeboten, der Vorschlag schien beiden interessant – ein neues Land, neue Aufgaben, mehr Gehalt. Sie überlegten nicht lange, der Freund sagte zu, der Umzug stand schon in einem Monat bevor. Sie könnte auch Nachmieter präsentieren, sagte Alicja.

Mieterwechsel sind immer mit Mehrarbeit verbunden. Wenn sich eine Zeitungsannonce und Wohnungsbesichtigung umgehen ließen, sollte es mir recht sein. Aber selbstverständlich wollte ich den Nachmieter vor einer Entscheidung erst einmal kennenlernen. Es stellte sich heraus, dass es sich wieder um ein Paar handelte, dieses Mal allerdings mit zwei Kindern, fünf und sieben Jahre alt. Die Frau war Grundschullehrerin, der Mann Ingenieur – allerdings, sagte Alicja, würden beide noch nicht arbeiten. Es handele sich nämlich um syrische Flüchtlinge, die zwar eine Aufenthaltserlaubnis hätten, aber wegen unzureichender Sprachkenntnisse und bislang fehlender Anerkennung ihrer beruflichen Qualifikation noch nicht in ihrem Beruf tätig sein könnten.

Als Alicja mir das berichtete, muss sie meinen überraschten Ge-
sichtsausdruck gesehen haben, denn sie begann sogleich, mich zu be-
ruhigen. Wegen der Miete müsse ich mir keine Sorgen machen. Wie
gesagt: Die beiden seien als Flüchtlinge anerkannt, die Miete würde
vom Jobcenter übernommen. Und was die Verständigung betreffe:
Die Frau hätte bereits Sprachkurse besucht, man könne sich gut mit
ihr verständigen. Im Übrigen handele es sich um ein sehr sympathi-
sches, kultiviertes Ehepaar.

Sie kamen zwei Tage später, an einem Samstag. Und tatsächlich:
Sie waren mir vom ersten Moment an sympathisch. Zurückhaltend,
freundlich, liebevoll gegenüber den beiden Kindern. Und trotzdem –
ich bekenne es – spürte ich, wie sich in mir Unbehagen und Widerstände aufbauten. Die Frau trug ein Kopftuch. Was bedeutete das?
Wie religiös war sie? Oder war sie nur traditionell geprägt? Ich fühlte
mich verunsichert, gab ihr nicht die Hand. Zu allem Überfluss schoss
mir auch noch Herr S. aus dem ersten Stock durch den Kopf, der doch
wegen der vielen »Fremden« im Viertel die AfD gewählt hatte. Was
würde der zu einer Mieterin mit Kopftuch sagen? Was würde aus dem
Zusammenleben im Haus?

Ich schreibe das hier einmal ganz offen, weil ich selber erstaunt
über meine Gefühle und Gedanken war. Ihr kennt meine Haltung aus
vielen Gesprächen. Ja, ich bin dafür, dass Deutschland politisch Verfolgten und Bürgerkriegsflüchtlingen eine Zuflucht gewährt. Ich bin
auch nach wie vor der Meinung, dass Integration umso besser gelingt,
je zahlreicher und intensiver sich die Kontakte zwischen Einheimischen und Neuen entwickeln. Und nun merkte ich plötzlich: Wenn
ich mit Mehmet aus der Türkei und Leszek aus Polen einmal die Woche Fußball spiele, dann finde ich das unproblematisch, interessant
und – wie es in Sonntagsreden immer heißt – bereichernd. Wenn wir
hinterher noch ein Wasser oder ein Bier trinken, erfahre ich ziemlich
viel über ihre Familien, ihre Gewohnheiten und ihre nicht immer einfachen Begegnungen mit einheimischen Deutschen. Doch nach dem
Spiel bin ich wieder unter meinesgleichen (ist mir früher nie aufgefal-

len, wie treffend dieses Wort ist: »meines-gleichen«). Das Flüchtlingse-hepaar hingegen steht erst am Anfang einer Eingewöhnung an unsere Gesellschaft. Und sie würden im selben Haus wohnen. Würden wir gut miteinander auskommen?

Um es kurz zu machen: Die Familie ist vor vier Monaten eingezo-gen. Ich habe meine Entscheidung nicht bereut, aber ich kann auch nicht sagen, das Zusammenleben wäre nur interessant und »berei-chernd«.

Bei der Unterzeichnung des Mietvertrags wurde mir erst einmal klar, wie prekär ihre Aufenthaltstitel sind. Jalal verfügt über ein Do-kument, das ihm ein »Abschiebungsverbot« zusichert; dieser Aufent-haltsstatus ist der schlechteste, den man bekommen kann. Laila hat ei-nen subsidiären Flüchtlingsstatus erhalten, der mehr Rechte zugesteht. Beide müssen ihren Status jedes Jahr neu bestätigen lassen. Auf meine erstaunte Nachfrage, warum sie unterschiedliche Papiere erhalten hät-ten, erfuhr ich ihre unterschiedlichen Fluchtgeschichten.

Jalal flüchtete vor vier Jahren allein über die türkisch-bulgari-sche Grenze, wurde in Bulgarien registriert, zog aber dennoch wei-ter in sein Wunsch- und Zielland Deutschland. Weil Bulgarien als ers-ter EU-Staat gemäß den Dublin-Verträgen aber für sein Asylverfahren zuständig ist, wurde sein Antrag in Deutschland negativ beschieden. Jalal legte zwar Widerspruch ein, doch das Gericht hob nach zwei Jah-ren die Entscheidung des Bundesamts für Migration und Flüchtlinge nicht auf. Zuständig für ihn bleibt Bulgarien. Nur weil den deutschen Behörden die Bedingungen für Flüchtlinge (Obdachlosigkeit, Armut) in Bulgarien als unzumutbar erscheinen, darf er hierbleiben. Eben: Abschiebungsverbot.

So lange, wie Jalal kein Aufenthaltsrecht besaß, stand ihm kein Sprach- bzw. Integrationskurs zu. Nun geht er endlich in einen Kurs, doch ich spüre, wie frustrierend es für ihn ist, dass seine deutschen Sprachkenntnisse nach fast vier Jahren in unserem Land noch so spär-lich sind. Um in einer deutschen Firma arbeiten zu können, sagte Jalal, müsste er erheblich besser sprechen lernen. Das liegt auf der Hand.

Um aber überhaupt irgendwo legal arbeiten zu können, braucht er eine spezielle Erlaubnis der Ausländerbehörde. Diesen Antrag hat er noch nie gestellt, weil bisher kein entsprechendes Angebot vorlag. Weil er es aber nicht aushält, einfach zuhause herumzusitzen und nur in einen Sprachkurs zu gehen, macht er das, was für ihn möglich ist: Er arbeitet illegal bei Landsleuten. Das alles zehrt an seinen Kräften, mehr aber noch an seinen Nerven. Am meisten leidet sein Selbstwert darunter, dass seine Frau besser zurechtkommt als er. Die Flucht hat die Beziehung verändert. In Deutschland ist ihm seine Frau überlegen.

Als sich herausstellte, dass sein Asylverfahren viel länger dauern würde als erwartet, war Laila trotz seines Protestes mit den beiden Kindern und der Familie ihres Bruders aus der Türkei nachgekommen: erst auf einem Schlepperboot und dann über die Balkanroute. Schon das war für ihn schwer auszuhalten. Seine Frau und seine Kinder – ganz ohne seinen Schutz. Und dann erhielt Laila in Deutschland auch noch relativ schnell den subsidiären Flüchtlingsstatus und bekam sofort einen Sprach- und Integrationskurs. Sie lernte schnell und gern, hatte von Anfang mehr soziale Kontakte und kommt inzwischen gut im Alltag zurecht. Jalal hingegen ist auf Lailas Hilfe angewiesen. Ohne seine Frau kann er nichts auf den Ämtern erledigen. Ohne sie und ihre deutschen Bekanntschaften hätten sie keine Wohnung bekommen und keinen Kindergartenplatz für den jüngsten Sohn.

In den letzten Wochen sind die Spannungen in der Ehe mehr und mehr zutage getreten. Mein Eindruck ist: Jalal möchte so schnell wie möglich zurück nach Syrien, weil er nicht damit klar kommt, dass er in Deutschland nicht mehr das bestimmende und unhinterfragte Familienoberhaupt ist und die Familie auch nicht ernähren kann. Laila hingegen möchte in Deutschland bleiben, weil sie längst gespürt hat, dass sie hier ein freieres Leben führen könnte.

Vor kurzem hat sie ein Angebot des Kindergartens ihres jüngsten Sohnes erhalten: Ob sie nicht zeitweilig mitarbeiten wolle? Sie könne bessere Kontakte zu Eltern herstellen, die aus dem arabischen und muslimischen Kulturkreis kämen. Da gebe es nämlich immer wieder

Probleme. Ich sah, wie Lailas Augen leuchteten, als sie von diesem Angebot erzählte. Sie sieht, dass sie Chancen hat und sich nicht für jeden selbstständigen Schritt, den sie tut, vor Mann und Großfamilie verantworten muss.

Ich sehe aber auch, dass Lailas Offenheit ihrem Ehemann Angst macht. Die Frauen kämen hier auf dumme Gedanken, erklärte Jamal einmal in einem Gespräch. Er kenne mehrere Fälle, wo sich syrische Frauen in Deutschland hätten scheiden lassen: Der deutsche Staat mache es ihnen ja auch leicht, das Jobcenter würde den Geschiedenen weiter Geld zahlen. Dabei sei es nicht »normal«, dass Frauen allein leben. Alle würden über sie reden.

Laila hatte zunächst ganz ruhig übersetzt, doch plötzlich traten ihr die Tränen in die Augen. Offensichtlich hatte es bereits oft Gespräche über die Zukunft gegeben – und keine einvernehmliche Lösung. Dazu kam ein weiteres Problem. Erst Wochen nach ihrem Einzug gestand mir das Ehepaar, dass es noch zwei Söhne hätte, inzwischen zehn und zwölf Jahre alt. Die Eltern hatten sie bei den Großeltern in der Türkei in der Hoffnung zurückgelassen, sie sehr schnell nachholen zu können. Seitdem aber waren vier Jahre vergangen, vier lange Jahre. Während die Eltern Deutsch lernten, lernten die Jungen Türkisch. Während die Eltern versuchten, in Deutschland anzukommen, gewöhnten sich die Söhne an die Türkei. Zwar hielten sie regelmäßig und fast täglich Kontakt über Facebook und WhatsApp. Aber war die Familie in Deutschland den Jungen in der Türkei trotzdem nicht längst fremd geworden?

Ich gestehe, dass ich das erste Mal so hautnah miterlebt habe, was Beschlüsse der Bundesregierung in der Flüchtlingspolitik bedeuten. Zunächst war es Jalal und Laila gar nicht möglich, einen Antrag auf Familiennachzug zu stellen, weil sie selber keinen anerkannten Status besaßen. Dann setzte die Bundesregierung den Familiennachzug für Personen mit einem nur subsidiären Schutzstatus aus. (Menschen mit einem Abschiebungsverbot wie Jalal, so wurde mir erklärt, könnten sowieso niemanden nachholen.) Nach zwei Jahren wurde diese Entscheidung zwar aufgehoben, doch pro Monat können nur bis zu 1000 Personen in diesem Rahmen nach Deutschland einreisen. Nun warten Jalal und Laila schon seit fünf Monaten auf eine Entscheidung des Generalkonsulats in Istanbul.

Die Wendung der Familiengeschichte hat mich überrascht und bestürzt. Aber sie hat mich auch verärgert. Denn so wie es aussieht, werden in der Erdgeschosswohnung demnächst statt vier dann sechs Mieter wohnen. Wird das gehen? Werden die übrigen Mieter damit klar kommen? Für sechs Personen wäre die dreieinhalb-Zimmer-Wohnung doch viel zu klein, gab ich zu bedenken. Aber Laila und Jalal schüttelten nur den Kopf. Es sei gut so, wie es ist. Es sei so viel besser als im Flüchtlingsheim.

Nun bleibt mir nichts anderes übrig als abzuwarten. Ich habe keine Ahnung, was aus der Ehe wird. Ich habe keine Ahnung, ob die Familie bleiben oder so schnell wie möglich zurückgehen wird. Ich kann nicht einmal beurteilen, ob ihre Zukunft allein von ihren Wünschen abhängt. Vielleicht beschließt die Bundesregierung demnächst, dass Syrer zurückgehen müssen, wenn sie sich bei uns nicht selbst ernähren können. Ich kann nicht ausschließen, dass ich im nächsten Jahr schon wieder neue Mieter suchen muss.

Jedenfalls bin ich, ohne es zu ahnen, ein heikles Mietverhältnis eingegangen. Ich würde lügen, wenn ich behaupten würde, das Ganze ließe mich kalt. Nein, es beunruhigt mich schon. Aber ich bin ein realistischer Mensch und will vor der neuen Realität, die mir durch mein Haus so richtig bewusst geworden ist, auch nicht die Augen verschließen. Und schließlich – wenn ich mich bemühe und wenn sich alle meine Mieter bemühen, dann müsste es doch irgendwie gut gehen …«

So weit Thomas und sein Haus. Dass es gut gehen möge bei all den Herausforderungen, die sich offensichtlich bis hinein in die Hausgemeinschaften zeigen, das ist auch mein Wunsch: Mit gutem Willen, Realismus und politischer Vernunft.

Für eine kämpferische Toleranz

Mein Plädoyer für Toleranz möchte zweierlei bewusst machen: Sie ist gut für das Individuum, und sie ist gut und unerlässlich für die Gesellschaft. Und sie drückt sich nicht unbedingt im mehr oder weniger duldenden Hinnehmen aus, sondern kann eine überaus aktive Haltung sein.

Menschen, die Toleranz im Umgang mit anderen Menschen und Haltungen einüben, können ihre konstruktiven Potenziale aktivieren, sich ihren spontanen aggressiven Impulsen widersetzen, können sich beherrschen lernen. Aus Selbstüberwindung geht ein gestärktes Ich hervor, ein größeres Selbstvertrauen und Selbstbewusstsein – und damit eine größere Fähigkeit zur Toleranz. Wer Toleranz entwickelt, demonstriert Entscheidungsfreiheit. Er muss in schwer zumutbaren Situationen nicht unbedingt fliehen oder in eine aggressive Abwehr gehen, er ist nicht dazu verurteilt, jeden, der nicht seine Meinung teilt und nicht auf seiner Seite steht, als Feind zu betrachten. Er kann das »Andere« aushalten und mit ihm umgehen lernen.

Toleranz wächst in der lebenslangen Bereitschaft der Einzelnen, die sich verändernde Welt wahrzunehmen. Sie hilft, sich mit offenen Augen und offenen Sinnen dem Neuen zu stellen, anfängliche Angst zu überwinden, eigenes Denken und Handeln zu bestätigen oder aber entsprechend neuen Gegebenheiten auch zu korrigieren.

Toleranz ist zwar weder selbstverständlich noch einfach; sie bleibt eine Anstrengung und so manches Mal eine Zumutung. Aber wie so oft im Leben: Wer eine Herausforderung annimmt und sie erfolgreich bewältigt, wird mit Glücksgefühlen belohnt. Wir sollten Toleranz also nicht nur als Zumutung oder mögliche Überforderung begreifen, sondern auch als Ausdruck menschlicher Reife, als eine zivilisatorische Leistung, die den Menschen wachsen lässt und ein friedliches Zusammenleben ermöglicht. Toleranz ist, um ein betagtes Wort zu benutzen: eine beglückende Tugend.

Aber Toleranz ist nicht allein eine Tugend. Toleranz zu leben ist auch ein Gebot der politischen Vernunft. Sie legt uns nahe, den Raum, in dem wir leben, nicht voreilig in Gut und Böse zu unterteilen und die Bösen aus dem Diskurs auszugrenzen. Gerade in Zeiten des Umbruchs wachsen aufgrund der Verunsicherung von Menschen die Bandbreite der Meinungen und auch die Polarisierungen von Meinungen. Toleranz hilft vor allzu schnellen Lagerbildungen, bei denen sich Gruppen voneinander abkapseln oder nur noch in Frontstellung zueinander gehen.

In einem von Toleranz geprägten weiten Debattenraum hingegen können sich prozesshaft Lösungen entwickeln, die von Mehrheiten getragen werden und auch den Bedenken von Fortschrittsskeptikern Rechnung tragen. Jeder Demokrat sollte daher den Raum schützen, in dem Toleranz geübt und praktiziert wird. Einen Raum, in dem Uneinigkeit immer anwesend sein wird und der dennoch Chancen eröffnet. Die Geschichte der Demokratie belegt: Es ist möglich, sich Wahrheiten anzunähern, Kompromisse zu finden und erkennbare Fortschritte zu erlangen – dank Toleranz.

Jeder bewusste Demokrat, der diesen Raum der Möglichkeiten schützen will, muss aber sein überzeugtes Ja zur Toleranz ergänzen durch ein entschlossenes Ja zur Intoleranz, nämlich dann, wenn Freiheit und Toleranz bedroht sind und ausgelöscht werden sollen. Tolerieren und verteidigen gehören zusammen.

Und das, was wir verteidigen wollen, verteidigen wir nicht nur, weil es das Unsere ist, das deutsche, europäische, westliche Projekt. Es ist nicht die schlichte Vertrautheit mit dem Eigenen, was uns sicher macht, das Richtige zu verteidigen, sondern die Gewissheit, dass der Verteidigung wert ist, was allen Menschen gleichermaßen zukommt: Würde, Unversehrtheit, Freiheit und Recht. Es wird sich immer und immer wieder lohnen, dafür zu streiten mit Verantwortungsbewusstsein, mit Mut und – mit kämpferischer Toleranz.

Dank

Am Anfang...

Dank

Ein herzlicher Dank gilt Prof. Dr. Michael Schwartz für seine hilfreiche und kritische Begleitung in der frühen Phase der Textgestaltung sowie Prof. Dr. Kurt Spillmann und Katharina Spillmann für ihre konstruktiven Hinweise in der Schlussphase.

Anmerkungen

1 Goethe, Maximen und Reflexionen, hg. von Max Hecker, Weimar 1907
2 Norberto Bobbio, Gründe für die Toleranz. In: Ders., Das Zeitalter der Menschenrechte. Ist Toleranz durchsetzbar? Berlin 1998, S. 103
3 Bundesanstalt für Finanzdienstleistungsaufsicht
4 zit. nach Winfried Schulze, Pluralisierung als Bedrohung: Toleranz als Lösung. In: 350 Jahre Westfälischer Friede – Entscheidungsprozesse, Weichenstellungen und Widerhall eines europäischen Ereignisses, Münster 1998, S. 63–86; www.westfaelische-geschichte.de/lit4624
5 Bernd Roeck, Der Morgen der Welt. Geschichte der Renaissance, München 2018, S. 1164
6 zit. nach Hans Rudolf Guggisberg, Parität, Neutralität und Toleranz. In: Zwingliana: Beiträge zur Geschichte des Protestantismus in der Schweiz und seiner Ausstrahlung 15/8, 1982, S. 632–649
7 Leszek Kołakowski, Der revolutionäre Geist, Berlin/Köln/Mainz 1972, S. 83 f.
8 Aus dem 16. Jahrhundert sind aus Europa nur zwei Fälle überliefert, in denen nicht durch die Kräfteverhältnisse, sondern wesentlich durch innere Überzeugung Toleranzlösungen beschlossen wurden. Im ersten Fall handelt es sich um das Fürstentum Siebenbürgen, jenes Gebiet im südlichen Karpatenraum, das dem Osmanischen Reich tributpflichtig war, seine Innen- und Religionspolitik jedoch selbstständig bestimmen konnte. Damals hat König Johann II. Sigismund Zapolya, der als Gelehrter galt, fließend acht Sprachen beherrschte und sich selber zunächst zum römisch-katholischen Glauben und später zum Unitarismus bekannte, mit dem Edikt von Turda (1568) Religionsfreiheit für die katholische, calvinistische, lutherische und unitarische Kirche verkündet. Und in Polen, wo sich die protestantischen Ideen aufgrund einer liberalen Religionspolitik des Herrscherhauses weit hatten ausbreiten können, wurde 1573 der Warschauer Religionsfriede beschlossen: Er bezog selbst konfessionelle Randgruppen in einer Übereinkunft über gegenseitige Unterstützung, politische Gleichstellung und Toleranz ein – ein Meilenstein der Glaubensfreiheit in der europäischen Geschichte. »Vereinzelte Akte des religiösen Fanatismus konnten noch vorkommen«, weiß der Historiker Norman Davies. »Doch eine allgemeine Verfolgungskampagne war nicht möglich. Polen verdiente wahrlich seinen Namen als ›Das Land ohne Scheiterhaufen‹.« Und es bewahrte sich damit vor jahrzehntelangen Konfessionskriegen, wie sie Westeuropa zum Teil schwer verwüsteten. Norman Davies, Im Herzen Europas. Geschichte Polens, München 2006, S. 268
9 Hannes Stein, Amerikas neuer Antisemitismus. WELT vom 29.10.2018

10   Martin Luther, Von weltlicher Obrigkeit, wie weit man ihr Gehorsam schuldig sei; Gutenberg-Bibliothek, Spiegel Online; https://gutenberg.spiegel.de/buch/von-weltlicher-obrigkeit-wie-weit-man-ihr-gehorsam-schuldig-sei-267/1

11   Roeck, Der Morgen der Welt, S. 751

12   Stefan Zweig, Castellio gegen Calvin, oder: Ein Gewissen gegen die Gewalt; Gutenberg-Bibliothek, Spiegel-Online; https://gutenberg.spiegel.de/buch/castellio-gegen-calvin-oder-ein-gewissen-gegen-die-gewalt-6866/1

13   Im Übrigen wiederholte sich mit den Repressionen der Reformatoren ein Mechanismus, wie er aus der katholischen Kirche nur allzu bekannt war. Auch Augustinus, einer der großen Kirchenväter und einflussreichsten Theologen der christlichen Spätantike, hatte seine Haltung gegenüber Häretikern gewechselt. Anfangs plädierte er dafür, ihnen »mit Sanftmut« zu begegnen und Irrtum mit Erörterungen zu bekämpfen. »Damit wir nicht an denen, die wir als aufrichtige Häretiker kannten, gezwungene Katholiken bekämen.« Das Richten der Irrenden sollte der göttlichen Macht im Jenseits überlassen sein. Doch als alle Vermittlungsversuche mit den Donatisten, einer puristischen christlichen Abspaltung vor allem in Nordafrika, nichts fruchteten, sprach sich auch Augustinus für die Anwendung von Zwang und Gewalt ihnen gegenüber aus und rechtfertigte dies theologisch als »heilsamen Zwang«: Er sollte die Verstocktheit brechen und die Irrenden auf den rechten Weg zurückführen. Machtpolitisch gesprochen: Er sollte die Einheit der Kirche und die Dominanz von Rom wahren. Die Todesstrafe lehnte Augustinus zwar ab. Doch nachdem seine Auffassung zur Häresie im Dekret von Gratian 1140 zur allgemeinen Norm im Kirchenrecht wurde, diente sie über mehrere Jahrhunderte immer wieder als Begründung und Bezugspunkt zur Verfolgung von Häretikern, einschließlich ihrer Tötung. Daniela Müller, Ketzer und Kirche. Beobachtungen aus zwei Jahrtausenden, Münster 2014, S. 97 ff.

14   Ebenda, S. 24

15   Iring Fetscher, Toleranz. Von der Unentbehrlichkeit einer kleinen Tugend für die Demokratie, Stuttgart 1995, S. 40

16   Mit der Verfassung des 3. Mai erhielt das wohlhabende Bürgertum neben dem Adel erstmals Mitspracherecht, den Bauern wurde zumindest Rechtsgleichheit zugesprochen. Die Gewaltenteilung wurde eingeführt, die Regierung dem Parlament unterworfen, im Sejm galt das Mehrheitsprinzip.

17   Fetscher, Toleranz, S. 29

18   Das hielt John Penns, der erste Gouverneur der nach ihm benannten Kolonie Pennsylvanien, für die Grundlage zur Errichtung und zum Erhalt von Staaten. Fetscher, Toleranz, S. 37

19   Ebenda, S. 47 f.

20   Ebenda, S. 27

21   zit. nach Jürgen von Stackelberg, Voltaire, München 2006, S. 121

22   Voltaire, Über die Toleranz, Berlin 2015

23   Voltaire, Über die Toleranz, zit. nach Voltaire, Recht und Politik. Schriften 1; hg. von Günther Mensching, Frankfurt/Main 1978, S. 238 f.

24   John Stuart Mill, Über die Freiheit, Ditzingen 2017, S. 12

25   Mill, Freiheit, S. 16

26   Thomas Carlyle, New Letters of Thomas Carlyle, zit. bei Isaiah Berlin, John Stuart Mill und die Ziele des Lebens. In: Ders., Freiheit. Vier Versuche, Frankfurt/Main 1995, S. 277

27 Mill, Freiheit, S. 158
28 Berlin, John Stuart Mill, S. 269
29 Ebenda, S. 269 f.
30 Bobbio, Gründe für die Toleranz, S. 87 ff.
31 BpB, Themenblätter im Unterricht Nr. 105: Minderheiten und Toleranz; www.bpb.de/shop/lernen/themenblaetter/191501/minderheiten-und-toleranz
32 Wer in das Thema tiefer einzutauchen wünscht, dem empfehle ich neben historischen Texten auch neuere Arbeiten etwa von Rainer Forst, Norberto Bobbio, Heiner Hastedt, Charles Taylor oder auch Leszek Kołakowski.
33 Michael Walzer, Über Toleranz. Von der Zivilisierung der Differenz, Hamburg 1998, S. 8
34 Entsprechend heißt es bei dem Rechtswissenschaftler Hans Kelsen: »Das Prinzip der Toleranz, das ist die Forderung, die religiöse oder politische Anschauung anderer wohlwollend zu verstehen, auch wenn man sie nicht teilt, ja gerade, weil man sie nicht teilt, und daher ihre friedlichen Äußerungen nicht zu verhindern.« Hans Kelsen, Was ist Gerechtigkeit?, Stuttgart 2000, S. 50
35 Reiner Forst, Toleranz im Konflikt, Berlin 2003
36 Immanuel Kant, Beantwortung der Frage »Was ist Aufklärung?«, Akademie-Ausgabe Band VIII, S. 33–42, hier S. 40; https://korpora.zim.uni-duisburg-essen.de/Kant/aa08/
37 Leszek Kołakowski, Lob der Inkonsequenz. In: Ders., Der Mensch ohne Alternative, München 1976, S. 247
38 Alexander Mitscherlich, Toleranz – Überprüfung eines Begriffs, Frankfurt/Main 1974, S. 9 ff.
39 Karl Popper, Die offene Gesellschaft und ihre Feinde, Tübingen 2003
40 Carlo Schmid, Rede im Parlamentarischen Rat am 8.9.1948. In: Der Parlamentarische Rat 1948–1949, Bd. 9 (Plenum), hg. von Wolfram Werner, München 1996, S. 21 ff.
41 Dieser Begriff wurde von dem Bielefelder Soziologen Wilhelm Heitmeyer eingeführt und fasst die verschiedenen Formen der Diskriminierung zusammen.
42 Mitscherlich, Toleranz, S. 26
43 Interview mit Alexander Gauland im Spiegel 51/2015
44 Zwischenbericht einer Medienstudie der Hamburger Media School. FAZ vom 3.9.2016
45 Grenzen zu, Augen auf. Interview mit Paul Scheffer. Süddeutsche Zeitung vom 31.1.2016
46 Giovanni di Lorenzo, »Wir waren geradezu beseelt von der historischen Aufgabe«. Cicero vom 4.9.2016
47 The Economist Intelligence Unit's Democracy Index; www.eiu.com
48 Christian Welzel, Freedom Rising. Human Empowerment and the Quest for Emancipation, New York/Cambridge 2013, S. XXXIII ff.
49 Von 5600 auf 28 200 Dollar, siehe: Johannes Mayerhofer, Wirtschaftsboom trotz Demokratieabbau. Wiener Zeitung vom 21.8.2018
50 Andreas Reckwitz, Die Gesellschaft der Singularitäten. Zum Strukturwandel der Moderne, Berlin 2017, S. 226
51 Bauman, Zygmunt: Flüchtige Zeiten. Leben in der Ungewissheit, Hamburg 2008, zit. nach: Lars Koch (Hg.) Angst. Ein interdisziplinäres Handbuch, Stuttgart 2013, S. 7

52 Alexander Armbruster, »Hier geht es um die Interessen der gesamten Menschheit«. FAZ vom 30.9.2017

53 Ralf Dahrendorf, Die Globalisierung und ihre sozialen Folgen werden zur nächsten Herausforderung einer Politik der Freiheit. ZEIT 47/1997; www.zeit.de/1997/47/ thema.txt.19971114.xml

54 Pierre Hassner, Nationalstaat – Nationalismus – Selbstbestimmung. In: Karl Kaiser/ Hans-Peter Schwarz (Hg.), Die neue Weltpolitik, Bonn 1995, S. 91–103

55 Jürg Altwegg, Verdammte der Globalisierung. FAZ vom 27.11.2018

56 David Goodhart, Too divers? Prospect vom 20.2.2004

57 Ronald Inglehart, The Age of Insecurity. Can Democracy Save Itself? Foreign Affairs vom 16.4.2018

58 Reckwitz, Die Gesellschaft der Singularitäten

59 David Goodhart, Questioning diversity. Interview mit David Goodhart in der norwegischen Zeitung Samtiden vom 6.6.2018

60 David Goodhart, The Road to Somewhere. The New Tribes shaping British Politics, London 2017

61 Polen warnt vor »Welt aus Radfahrern und Vegetariern«. ZEIT Online, 3.1.2016

62 Erich Fromm, Die Furcht vor der Freiheit, München 1993

63 Amanda Taub, The Rise of American Authoritarianism. Vox vom 1.3.2016; www.vox. com/2016/3/1/11127424/trump-authoritarianism

64 Tom Jacobs, Authoritarianism: The Terrifying Trait That Trum Triggers. Pacific Atlantic vom 26.3.2018

65 Thomas B. Edsall, The Contract with Authoritarianism. New York Times vom 5.4.2018

66 Die vier Fragen zur Ermittlung von Personen mit einem autoritären Profil haben sich inzwischen oftmals bewährt. Seit 1992 sind sie aufgenommen in die Fragebögen der American National Election Studies, einem Meinungsforschungsinstitut speziell zu Wählerbefragungen.

67 Jacobs, Authoritarianism

68 Nach gängiger Meinung von Wissenschaftlern und Verfassungsschutz sind Rechtsextremisten durch nationalsozialistische, faschistische, rassistische, völkische Positionen definiert, die »gegen den Kernbestand unserer Verfassung – die freiheitliche demokratische Grundordnung – gerichtet sind.« Der Übergang zum Rechtsradikalismus ist fließend.

69 Linke und Grüne kritisieren Informationspolitik der Bundesregierung. Tagesspiegel vom 9.3.2019

70 Stellungnahme von Margarete Stokowski auf der Webseite des Rowohlt Verlags; www.rowohlt.de/news/stellungname-margarete-stokowski

71 Valentin Feneberg, Strategie des Einhegens. Tagesspiegel vom 16.10.2017

72 Für eine demokratische Polarisierung. Interview mit Jürgen Habermas. In: Blätter für deutsche und internationale Politik 11/2016

73 Stefan Müller-Dohm, Jürgen Habermas: Eine Biographie, Berlin 2014

74 zit. bei Heiner Hastedt, Toleranz. Stuttgart 2012, S. 56

75 Herbert Marcuse, Repressive Toleranz. In: Robert Paul Wolff/Barrington Moore/Herbert Marcuse, Kritik der reinen Toleranz, Frankfurt/Main 1966, S. 121

76 Bobbio, Gründe für die Toleranz, S. 101 und 103

77 Das Denken ist ständige Wachsamkeit. Interview mit Umberto Eco. ZEIT 45/1993; www.zeit.de/1993/45/das-denken-ist-staendige-wachsamkeit

78 Jakob Biazza, Interview mit Hasnain Kazim. Süddeutsche Zeitung vom 23.5.2018; www.sueddeutsche.de/medien/hass-im-netz-wenn-man-mich-auffordert-in-den-gasofen-zu-gehen-tue-ich-mich-mit-offenheit-schwer-1.3989688

79 Im Übrigen sei hier noch angemerkt, dass der Richtungsstreit in der AfD noch nicht beendet ist. Sie kann sich weiter radikalisieren und nach rechts außen bewegen oder den Weg in eine deutlicher nationalkonservative Richtung beschreiten. Nicht auszuschließen, wenn auch augenblicklich weniger wahrscheinlich, ist auch ein Zerfallsprozess, wie wir ihn bei anderen Parteien gerade in den letzten Jahrzehnten erlebt haben.

80 Interview mit Andreas Rödder, Was bedeutet es heute, konservativ zu sein? Märkische Allgemeine Zeitung vom 19.11.2018. Dazu auch: Andreas Rödder, Konservativ 21.0. Eine Agenda für Deutschland, München 2019

81 vgl. S. 83 ff. im Buch

82 Mely Kiyak, Die politische Mitte gibt es in Deutschland nämlich gar nicht mehr. In: Kiyaks Theater Kolumne; http://kolumne.gorki.de/kolumne-86/

83 Deutscher Hochschulverband, Zur Streit- und Debattenkultur an Universitäten. Resolution des 67. DHV-Tages in München. 4. April 2017; www.hochschulverband.de/fileadmin/redaktion/download/pdf/resolutionen/ResolutionPoliticalCorrectness-Endfassung.pdf

84 Maria-Sibylla Lotter, Meinungsfreiheit: Wer darf hier was sagen? ZEIT 52/2018

85 John Stuart Mill, Über die Freiheit, Stuttgart 1972, S. 12

86 Martin Niewendick, Wut auf der Wohlfühldemo. WELT vom 17.10.2018

87 Tanja Brandes, Interview mit Enrico Brissa, Mit Deutschlandfahne bei #unteilbar. »Wir haben ziemlich viel Hass erlebt«. Berliner Zeitung vom 21.10.2018

88 Bundesamt für Verfassungsschutz. Links- und rechtsextremistisch motivierte Straftaten, auf der Webseite des BfV

89 Monika Deutz-Schröder/Klaus Schroeder, Ich hasse, also bin ich. FAZ vom 7.8.2018

90 Tatverdächtige nach Anschlag auf AfD-Büro wieder frei. Sächsische Zeitung vom 5.1.2019

91 Die Stadt Frankfurt am Main vermietet beispielsweise einem linken Verein ein Kulturzentrum, obwohl der Verein regelmäßig im Bericht des hessischen Verfassungsschutzberichts auftaucht und Teile seiner Besucher an den G20-Demonstrationen teilnahmen. Daniel Gräber, Spruch am Café Exzess ärgert einige Frankfurter. Frankfurter Neue Presse vom 16.1.2019; FDP Frankfurt, Café Exzess, Anfrage an den Magistrat

92 Jakob Augstein, Das Tabu der Gewalt. Spiegel Online, 17.7.2017

93 Deutz-Schröder/Schroeder, Ich hasse, also bin ich

94 Studie: Linksextreme Einstellungen sind weit verbreitet. Freie Universität Berlin, Presse und Kommunikation, 23.2.2015

95 Verfassungsschutz warnt vor Cyber-Kalifat. Zeit Online, 14.4.2019

96 Rede von BfV-Präsident Thomas Haldenwang auf dem Europäischen Polizeikongress am 20.2.2019 in Berlin

97 Ebenda

98 zit. nach: Nina Scholz/Heiko Heinisch, Alles für Allah, Wien 2019, S. 28

99 Eigentlich wäre es korrekter, von vier Millionen Menschen zu sprechen, die aus mehrheitlich muslimischen Ländern stammen – nur das wird vom BAMF erfasst, die Zahl gläubiger Muslime ist mithin sehr ungenau und wahrscheinlich überhöht.

100 Christian Röther, Wie viel Millionen sind es wirklich? Deutschlandfunk vom 6.1.2017

101 Constantin Schreiber, Inside Islam. Was in Deutschlands Moscheen gepredigt wird, Berlin 2017

102 Und schon gilt man als islamophob! Giovanni di Lorenzo im Interview mit Constantin Schreiber. ZEIT 16/2018

103 Marcel Leubecher, Islam-Gebote stehen über dem Gesetz, findet fast die Hälfte. WELT vom 16.6.2016

104 Nina Magoley, Muslim-Konferenz in Köln löst Irritationen aus. WDR, 8.1.2019

105 Stellungnahme von DiTiB vom 16.12.2013 zu Mouhanad Khorchide, Islam ist Barmherzigkeit. Webseite DiTiB; www.ditib.de/detail_pos1.php?id=7&lang=en

106 Dazu zählen etwa die Muslimische Gemeinschaft NRW von Islamwissenschaftler Mouhanad Khorchide, die liberale Moschee von Seyran Ates, die Alhambra-Gesellschaft oder der schon etwas ältere Liberal-Islamische Bund.

107 Studie der Technischen Universität Berlin über Antisemitismus im Netz; www.linguistik.tu-berlin.de/menue/antisemitismus_2_0

108 Syrer wegen Davidstern verprügelt – zehn Festnahmen. Tagesspiegel vom 8.7.2018

109 Rassistische Straftaten nehmen um 20 Prozent zu. Spiegel online, 14.5.2019

110 Deutscher Bundestag, Antisemitismus-Definitionen und ihre Bedeutung für die Bekämpfung von antisemitischem Denken und die Verfolgung antisemitischer Straftaten. Wissenschaftlicher Dienst 1 – 3000/009/13

111 Andreas Zick/Andreas Hövermann/Silke Jensen/Julia Bernstein/Nathalie Perl, Jüdische Perspektiven auf Antisemitismus in Deutschland. Broschüre der Universität Bielefeld 2017, S. 21

112 European Union Agency for Fundamental Rights, Experiences and perceptions of antisemitism 2018. fra.euroa.eu, S. 47 und 54

113 Walter Klitz/Nicolas Klein-Zirbes, Boykott des Friedens: Die BDS-Bewegung und der Westen. In: Friedrich-Naumann-Stiftung, Für die Freiheit 61/2015; Julian Weber, Autoritär und herrisch. taz vom 16.8.2018

114 Shimon Stein/Moshe Zimmermann, Gut gemeint ist nicht gut genug. FAZ vom 27.2.2019

115 Sebastian Leber, Wie BDS gegen Israel hetzt. Tagesspiegel vom 18.11.2017

116 Viele junge Deutsche wissen nichts oder wenig über den Holocaust. Zeit Online 28.11.2018; www.zeit.de/gesellschaft/zeitgeschehen/2018-11/cnn-studie-holocaust-antisemitismus-deutsche-geschichte-wissen-bildung

117 siehe dazu auch: Interview mit Deborah Feldman, »Das Leid der Anderen verstehen.« taz vom 30.5.2018

118 ÜberzeuGENDERe Sprache. Leitfaden für eine geschlechtersensible und inklusive Sprache. Die Gleichstellungsbeauftragte der Universität zu Köln 2014

119 Heike Schmoll, Ungeliebter Stern. FAZ vom 2.4.2019

120 So vorgenommen in den »Formulierungshilfen für die Berichterstattung im Einwanderungsland« der Neuen deutschen Medienmacher 2015

121 Amin Maalouf, Mörderische Identitäten, Frankfurt/Main 2000, S. 25

122 Ralf Bauerdick, Wir sind Zigeuner! WELT vom 12.1.2012

123   »I'm not your negro«, Dokumentarfilm von Raoul Peck

124   Richard Bernstein, The Rising Hegemony of the Politically Correct. New York Times vom 28.10.1990

125   Moira Weigel, Political Correctness: how the right invented a phantom enemy. The Guardian vom 30.11.2016

126   Remarks at the University of Michigan Commencement Ceremony in Ann Arbor. 4.5.1991; https://bush41library.tamu.edu/archives/public-papers/2949

127   Dieter E. Zimmer, PC oder: Da hört die Gemütlichkeit auf. ZEIT 43/1993

128   Jonas Erik Schmidt, Streit um politisch korrekte Kostüme. Aachener Zeitung vom 24.2.2019

129   Die Frauen nannten sich so nach einer Aktion von Truppen der Nordstaaten am Combahee River 1863 im Zuge des amerikanischen Bürgerkriegs. Wesentlich aufgrund der ehemaligen Sklavin Harriet Tubman, die als Kundschafterin für die Uniontruppen arbeitete, konnten 700 Sklaven befreit werden.

130   »This focusing upon our own oppression is embodied in the concept of identity politics.«

131   Jergen Gerhards und Tim Sawert, Die Solidarität endet an der Grenze zur Unterschicht. FAZ vom 9.1.2018

132   Kenan Malik, Das Unbehagen in den Kulturen, Frankfurt/Main 2017, S. 47

133   Reni Eddo-Lodge, Warum ich nicht länger mit Weißen über Hautfarbe rede. Stuttgart 2019, S. 97

134   Maalouf, Mörderische Identitäten, S. 31 f.

135   Eddo-Lodge, Warum ich nicht länger mit Weißen über Hautfarbe rede, S. 100

136   Cigdem Toprak, Wir alle können Rassisten sein. Tagesspiegel vom 18.11.2018

137   Pascal Bruckner, Fundamentalismus der Aufklärung oder Rassismus der Antirassisten? Perlentaucher.de; www.perlentaucher.de/essay/fundamentalismus-der-aufklaerung-oder-rassismus-der-antirassisten.html#

138   Chimamanda Ngozi Adichie, Americanah. Frankfurt/Main 2014

139   Sophie Passmann, Wer Feminismus anstrengend findet, verdient ihn nicht. Zeit Online, 1.9.2018

140   Frank Furedi, Die verborgene Geschichte der Identitätspolitik. Novo 15.10.2018; www.novo-argumente.com/artikel/die_verborgene_geschichte_der_identitaetspolitik

141   Anja Kühne/Christian Schröder, Das neue Gedicht für die Alice Salomon Hochschule. Tagesspiegel vom 30.8.2018

142   Jonathan Haidt/Greg Lukianoff, The Coddling of American Mind. How Good Intentions and Bad Ideas Are Setting Up a Generation for Failure, New York 2018

143   Interview mit Jonathan Haidt, New Statesman vom 2.1.2019

144   Mark Lilla, The End of Identity Liberalism. New York Times vom 18.11.2016

145   Klaus Bade/Jochen Oltmer, Normalfall Migration, Bonn 2004, unter: www.bpb.de

146   Maren Möhring, Mobilität und Migration in und zwischen Ost und West. In: Frank Bösch (Hg.), Geteilte Geschichte. Ost- und Westdeutschland 1970–2000. Göttingen 2015, S. 401

147   Rheinischer Merkur vom 27.9.1991, zit. nach Georg Stötzel/Martin Wengeler, Kontroverse Begriffe, Berlin/New York 1995, S. 742

148   Hans Magnus Enzensberger, Die große Wanderung. Frankfurt/Main 1992, S. 13

149   Vamik Volkan, Blutsgrenzen, Bern/München/Wien 1999, S. 37 f.

150 Enzensberger, Die große Wanderung, S. 19

151 Zygmunt Bauman, Vereint in Verschiedenheit. In: Josef Bergholf / Elisabeth Menasse-Wiesbauer / Klaus Ottomeyer (Hg.), Trennlinien, Klagenfurt 2000, S. 39

152 Norbert Elias, Etablierte und Außenseiter, Frankfurt/Main 2002

153 Diese Erkenntnisse sind von Psychologen und Soziologen anhand zahlreicher anderer Fälle bestätigt worden. Siehe u. a. Vamik Volkan, Das Versagen der Diplomatie. Zur Psychoanalyse nationaler und religiöser Konflikte, Gießen 1999

154 Reinhard Müller, Di Fabio liefert Seehofer weiter Munition gegen Merkel. FAZ vom 13.1.2016

155 siehe u. a.: Bertelsmann-Stiftung, Einwanderungsland Deutschland. 2016; https://www.bertelsmann-stiftung.de/fileadmin/files/Projekte/51_Religionsmonitor/BST_Factsheet_Einwanderungsland_Deutschland.pdf

156 Statista. Das Statistik Portal; https://de.statista.com/

157 Offenbach ist Spitze bei Integration. Frankfurter Rundschau vom 27.7.2017

158 Internationaler Pakt über bürgerliche und politische Rechte (ICCPR), Artikel 27

159 Lena Gorelik, »Sie können aber gut Deutsch!«, München 2012, S. 177

160 Ali Ertan Toprak, Ich habe Deutschland umarmt. ZEIT 12/2008

161 Charles Taylor, Die Politik der Anerkennung. In: Ders., Multikulturalismus und die Politik der Anerkennung, Berlin 2009, S. 18

162 Annette Langer/Benjamin Schulz/Hendrik Ternieden, Warum Rashid D. nicht lebenslang bekam. Spiegel Online, 13.6.2017

163 Volker Kitz, »Wir lernen den Umgang mit anderen Religionen und Kulturen, nicht aber mit anderen Meinungen.« ZEIT 11/2018

164 Udo Di Fabio, Begegnung mit dem Absoluten. FAZ vom 11.1.2017

165 Tuba Sarica, Ihr Scheinheiligen. Doppelmoral und falsche Toleranz – die Parallelwelt der Deutschtürken und die Deutschen, München 2018

166 Sibel Kekilli, Was macht euch Angst, ihr Väter, Brüder, Ehemänner? FAZ vom 8.3.2015

167 Dokumentation der Ehrenmorde in Deutschland, Ehrenmorde.de. Eine Studie des Max-Planck-Instituts im Auftrag des BKA führt für die Jahre 1996 bis 2005 109 Opfer an. Johannes Korge, Polizei analysiert Dutzende »Ehrenmord«-Fälle. Spiegel Online, 2.8.2011

168 Interview mit Astrid-Sabine Busse, Was ›haram‹ ist. WELT vom 25.12.2018

169 Bassam Tibi, Wie die Integration islamischer Zuwanderer nach Europa behindert wird. In: Carsten Linnemann/Winfried Bausback (Hg.), Der politische Islam gehört nicht zu Deutschland, Freiburg 2019, S. 28

170 Bart Somers, Zusammen leben. Meine Rezepte gegen Kriminalität und Terror, München 2018

171 Maalouf, Mörderische Identitäten, S. 42